JN093551

よくわかる最新

センサ技術の基本と仕組み

IoTに不可欠なセンサデバイスを知る

松本 光春　著

秀和システム

はじめに

本書は、現在需要が増しているセンサ技術について、その仕組みを概説した初学者向けの解説書です。近年、IoT（モノのインターネット）や5Gなどの普及に伴い、世界中の多くのモノが互いにつながる社会が近づきつつあります。このようなモノがそれぞれつながるためにはモノの周りの環境を認識するためのセンシング技術が不可欠です。

世界中の１つひとつのモノがそれぞれに周りの環境をセンシングする未来―その未来の実現に向けてセンサ技術への需要が今、急速に高まりつつあります。

センサとひと口に言ってもその技術はさまざまです。そもそもどのような量をセンシングできるのか、どのような原理でセンシングできるのか、観測する情報と得られる情報の対応関係を知ることはセンサをうまく利用するために非常に重要な知識です。

センサ技術にはどのようなものがあるのか、どのようにしたら利用できるのかを知ることで、現在、読者の方々が直面しているいくつかの問題が解決できるかもしれません。

本書では、センサそのものの解説に加え、IoTの枠組みの中でセンサがどのような位置づけになるのかを解説してあります。また、センサを使ってどのようなことができるのか、その感覚をつかんでいただくため、いくつかのIoTの応用事例についても記載しました。技術的に高度なものよりも、アイディア次第で実現可能そうな事例を選ぶようにしましたので、センサを使った問題解決に向けたアイディア出しの一助になればと思います。

本書の記述が少しでも読者の皆様のお役に立てば幸いです。

2020年4月30日　著者記

よくわかる
最新センサ技術の基本と仕組み

CONTENTS

第3章 センシング：物理・化学センサとその仕組み

第4章 リーディング：情報処理センサとその仕組み

第5章 IoTの活用事例とセンサ技術

第1章

IoT（モノのインターネット）の基礎知識

センサの利用範囲はIoTの普及により爆発的に広がりつつあります。センサへの需要を急速に増やすIoTについて知ることは、これから求められるセンサ技術を知るうえで重要です。本章ではセンサへの需要の一端を担うIoTの基礎的な枠組みについて説明します。

1-1

IoTとM2M

IoTとM2Mの特徴と違い

IoTとは、Internet of Thingsの頭文字をとった略称で日本語ではモノのインターネットと呼ばれます。IoTとは世の中にあるあらゆるモノをネットワークに接続し、ネットワークを介してすべてのデバイスにアクセスできるようにしようという試みです。

図1のように家の中にある冷蔵庫や洗濯機、掃除機などの家電や時計、スマートフォンのような私たちが普段身に着けるデバイス、農場や漁場などの仕事場にあるモノや自動車やバスなどの交通手段もすべてIoTの対象になります。これらのモノを有機的につなぐことで従来ではできなかった新しい世界を作り出そうとする試みがIoTの目指す世界です。

図1　モノがネットワークでつながるIoTの世界

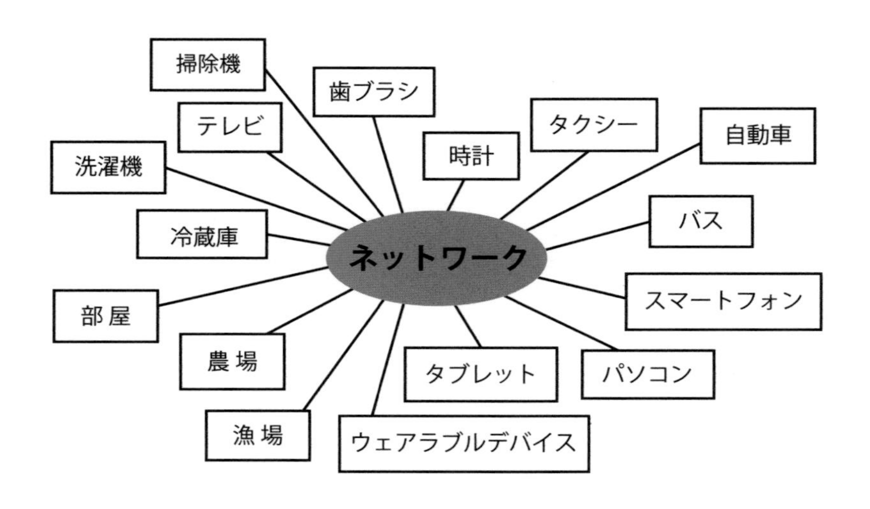

IoTと類似するコンセプトとして、M2Mという言葉があります。

M2M（エムツーエム）という名前はMachine to Machineの頭文字に由来します。M2Mは機械同士がネットワークを介し、お互いに通信を行うことを目的としています。

M2Mはあくまでも機械同士がつながることを目指しているため、それぞれの機械は必ずしもインターネットに接続している必要はありません。M2Mは物流や工場、ビル管理などのビジネス分野での適用を想定したコンセプトであり、機械が自動的に制御を行えるような枠組みを目指しています。M2Mが目指す世界は人の手が入らない完全に自動化された世界であり、機械同士で自動的に処理が完結するような枠組みです。

表1はIoTとM2Mの違いをまとめた表です。M2Mが機械だけで動作する仕組みを目指しているのに対し、IoTでは機械からの情報を人間が利用することを前提としています。この目標の違いからIoTとM2Mでは利用するネットワークや接続するデバイスの数などに違いが生じます。一方、IoTとM2Mはネットワークを介してモノ同士が接続するという意味で多くの共通する技術を利用します。本書で取り扱うセンサ技術はIoT、M2Mどちらにも必要不可欠な技術要素です。

表1　IoTとM2Mの違い

	IoT	M2M
目標	情報を活用すること	機械を自動制御すること
ネットワーク	インターネットを利用	閉じたネットワークを利用することも多い
連携するモノ	モノとモノ、人、プロセス	モノとモノ
デバイスの数	非常に多い	限定されている
データの活用方法	人へのサービス提供	制御情報の取得

1-2

IoTの基本構成

IoTを構成する技術要素

本書ではIoTの中でも特に重要となるセンサ技術に焦点を絞って解説をしていきますが、本章ではIoT全体の枠組みとその中で必要となる技術要素を概観します。図1にIoTの基本構成を示します。まずはIoTの構造を理解しやすくするため、図1に示す各項目について簡単に説明をしておきます。

図1　IoTの基本構成

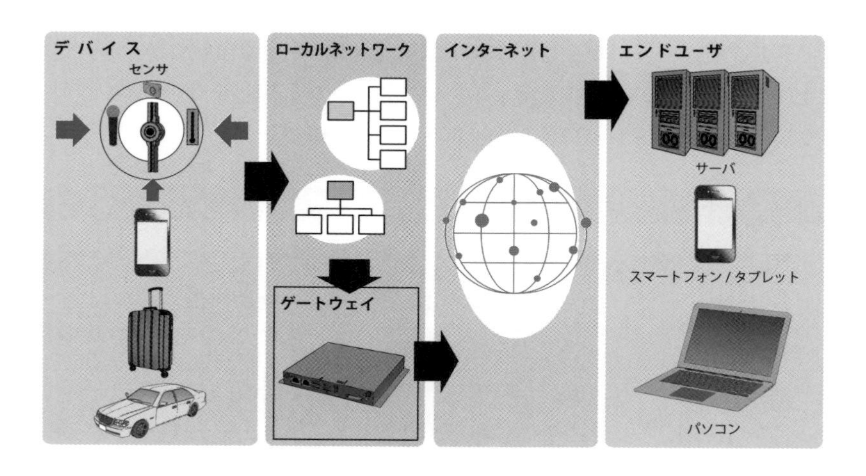

デバイス

デバイスはIoTで互いにつながるべきモノにあたります。インターネットへの接続が自然なスマートフォンやタブレットなどの機器だけでなく、通常はインターネットに接続しない家電や時計などもデバイスの対象になりえます。

センサ

センサはデバイスに付属し、デバイスそのものの状況やデバイスの置かれた環境の情報を収集する役割を果たします。本書で対象となる要素であり、より詳しい内容については２章以降で解説していきます。

ローカルネットワーク

ローカルネットワークは、デバイスからの情報がインターネットに流れる前に通過するネットワークです。デバイスはそのままでは直接データをインターネットに送信できないことも多く、そのような場合にはゲートウェイを通じてインターネットにデータが流れます。

ゲートウェイ

ゲートウェイは直接インターネットに接続できないデバイスからの情報をインターネットに送信するための中継器です。デバイスの中にはネットワークに直接接続できない機器も多くありますが、ゲートウェイはこのようなデバイスをネットワークに接続する働きをします。

インターネット

インターネットは世界中の各機器をつなげるネットワークです。デバイスからの情報を世界中にあるエンドユーザのもとへと届ける役割を果たします。

エンドユーザ

エンドユーザはデバイスからの情報を受け取り、活用します。

人がスマートフォンやパソコンなどを利用してデバイスから情報を受け取り、その情報を活用することもあれば、サーバやクラウドにデータを保存、格納し、そのデータを解析することでより体系的なデータとして利用することもあります。

サーバ

サーバはデバイスからの情報を保管したり、管理したりする役割を担います。

保管されたデータはサーバ内で解析され自動制御などに利用されることもあれ

ば、さらにエンドユーザへと渡され、そこで利用されることもあります。

スマートフォン/パソコン

スマートフォンやパソコンなどでデバイスからの情報を受けることで各デバイスの情報をエンドユーザが確認することができます。

10ページの図1のような枠組みのもと、センサのついたデバイスからインターネットを通じてエンドユーザが逐次利用するというのがIoTの基本的な枠組みになります。

1-3

IoTに必要な技術

IoTを構成する4要素

IoTの世界を実現するためには以下の4つの要素が必要です。

1. 情報を取得する技術（センサ、接続インタフェースなど）
2. 情報をつなげる技術（ネットワーク、ゲートウェイなど）
3. 情報を蓄積する技術（サーバ、クラウドなど）
4. 情報を活用する技術（データマイニング、機械学習など）

1. 情報を取得する技術（センサ、接続インタフェースなど）

情報を取得する技術は図1のように主としてデバイス領域で必要となります。

情報を取得するためにはセンサだけでなく、センサを制御するためのマイコンや

図1　情報を取得する技術が関連する領域

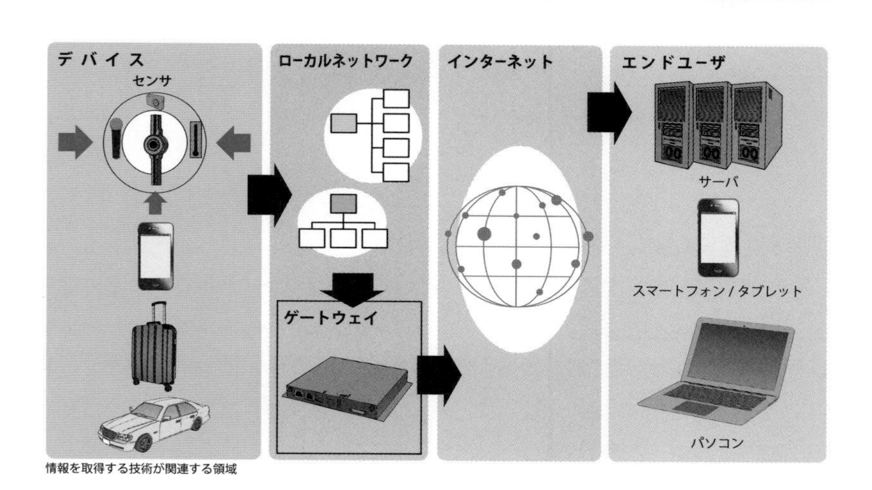

センサからの情報をネットワークにつなげるための接続インタフェースなどいくつかの技術要素について知っておく必要があります。

2. 情報をつなげる技術(ネットワーク、ゲートウェイなど)

情報をつなげる技術は図2のように主としてネットワーク領域で必要になります。センサから取得した情報をエンドユーザに的確に送信するため、物理的なネットワーク環境の整備やゲートウェイ、TCP/IPやルーティング、ネットワークプロトコルに関する知見が必要になります。

図2 情報をつなげる技術が関連する領域

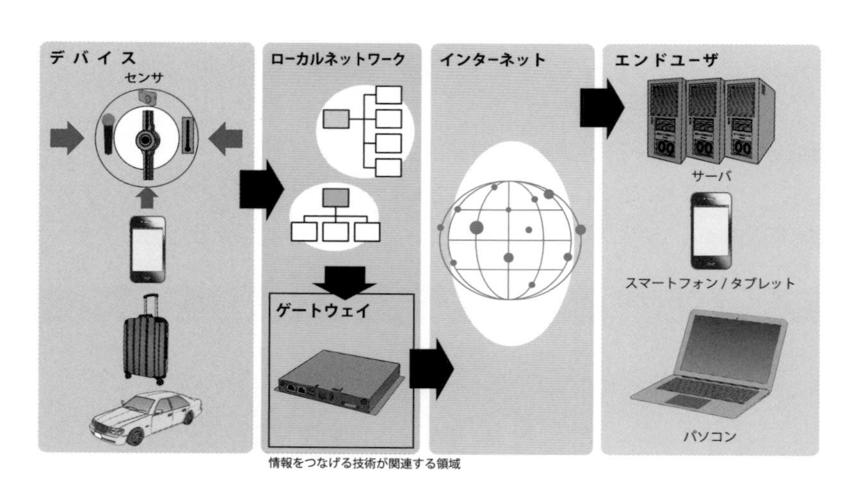

情報をつなげる技術が関連する領域

3. 情報を蓄積する技術(サーバ、クラウドなど)

情報を蓄積する技術は図3のように主としてエンドユーザ領域で必要になります。センサから取得した情報を蓄積し、保存するためのサーバやクラウドの準備に加え、サーバサイドでの情報の蓄積、保存方法についての知識が必要です。これらの技術は情報をつなげる技術に該当するネットワークプロトコルとも密接に関連するため、同時に開発が行われることが多いです。

図3　情報を蓄積する技術が関連する領域

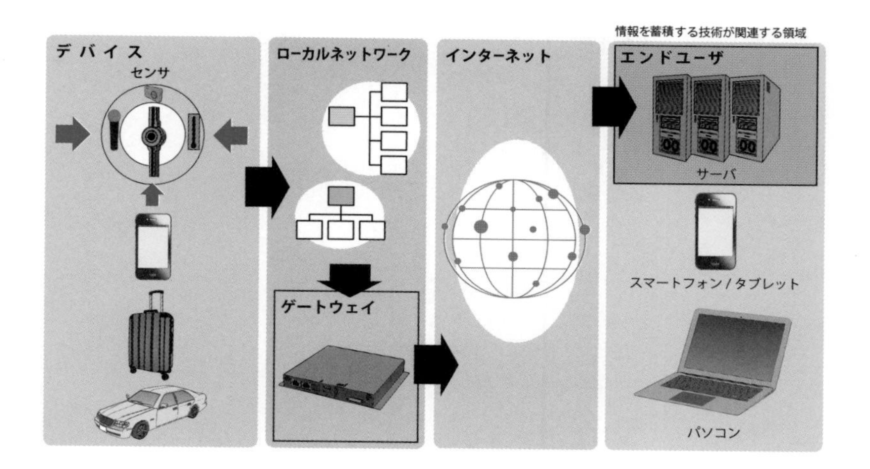

4. 情報を活用する技術（データマイニング、機械学習など）

情報を活用する技術は図4のように主としてエンドユーザ領域で必要になります。データマイニングや機械学習には多くの計算資源が必要になります。そのため、ユーザが利用するタブレットやパソコンなどの機器ではなく、サーバ側で処理を行うことがほとんどです。

図4　情報を活用する技術が関連する領域

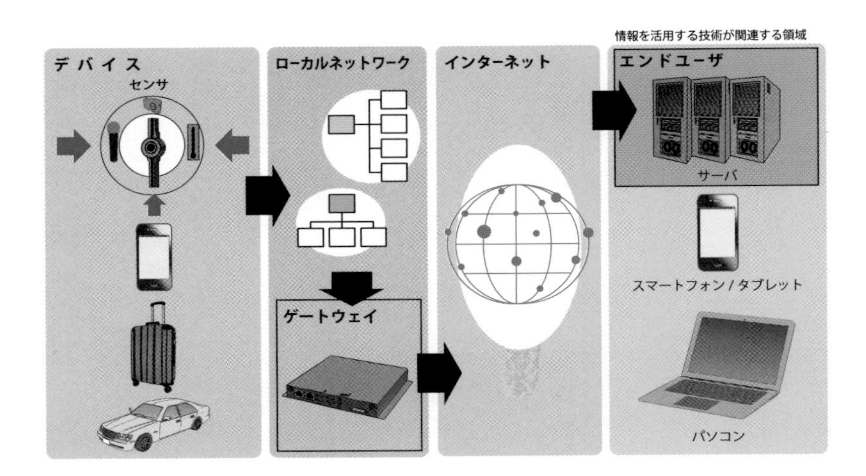

本書では、まず、2から4の3項目に関連する最近の技術動向について概略を説明し、その後、センサ技術に特に関連が深い情報を取得する技術についてより詳しく解説していきます。

1-4
IoTを取り巻く現状

情報をつなげる技術に関連する技術展望

5G

5G（ふぁいぶじー、ごじー）は正式には第５世代移動通信システムといい、2019年頃から導入が開始されている新しい通信規格です。5GはIoTやM2Mの実現を念頭に以下の３つの特徴を有した通信システムとして注目を集めています。

1. 高速・大容量接続
2. 低遅延
3. 超多数端末接続

表１に5Gの前の世代の移動通信システムである4G（第４世代移動通信システム）と5Gとの目標仕様の比較表を示します。表１に示すように5Gは従来の4Gでの通信システムに比べ、通信速度が20倍、遅延が10分の1、接続端末数で10倍という飛躍的な向上を見込んでいます。これらの技術的な改善を背景に以下のようなさまざまな応用が検討されています。

1. 高速・大容量接続

VR視聴

5Gの持つ高速・大容量接続を生かし、これまでにはできなかった大容量のコンテンツを気軽にみられると期待されています。たとえば、スポーツの試合などを多視点からみられる3D映像の実現やAR、VRシステムなどへの展開が期待されます。

2. 低遅延

遠隔医療・自動運転

5Gの持つ低遅延性を生かし、遠隔医療や自動運転などが実現できると期待されています。遠隔医療や自動運転技術にはリアルタイム性が不可欠ですが、1msという低遅延技術が実現できれば遠隔にいながらリアルタイムでの遠隔医療、自動運転が実現できると期待されます。

3. 超多数端末接続

5Gの持つ超多数端末接続は、IoT、M2Mを前提にした技術仕様です。あらゆるモノがネットワークに接続するIoTやM2M技術は5Gの主要なターゲットであり、従来は難しかったあらゆるモノがネットワークに接続することのできる無線環境が整備されると期待されています。

表1 4Gと5Gの比較

	4G	5G
通信速度	最大1Gbps	最大20Gbps
データ遅延	10ms	1ms
同時接続数	10万台/km^2	100万台/km^2

1-5 情報を蓄積する技術に関連する技術展望

クラウド・コンピューティング

クラウド・コンピューティングとは、コンピュータの利用形態の1つで、インターネットなどのネットワーク上にあるサーバからのサービスをネットワーク経由で手元にあるコンピュータやスマートフォンで利用するシステムをいいます。クラウドには雲という意味があり、利用者がソフトウェアやデータがどこにあるかを意識することなく、ネットワークという雲の中にあるコンピュータから提供されるサービスを利用するイメージから来ているといわれています。クラウド・コンピューティングは利用にあたってサーバが物理的にどこにあるのかということを意識しないですむようなサービスであり、この技術により提供されるサービスのことをクラウドサービスと呼びます。

クラウドから提供されるサービスによって、SaaS（サース：Software as a Service）、PaaS（パース：Platform as a Service）、HaaS（ハース：Hardware as a Service）、IaaS（イアース、アイアース：Infrastructure as a Service）などいくつかのサービス形態が存在します。それぞれ以下のようなサービスです。

SaaS

ネットワークを介して、ソフトウェアを提供するサービスをいいます。GmailやYahoo!メールなどのWebメールサービスやGoogleマップなどのサービスがこれにあたります。

PaaS

ネットワークを介して開発環境（プラットフォーム）を提供するサービスをいいます。一般ユーザよりは企業などのシステム開発者が利用するサービスです。

HaaS、IaaS

ネットワークを介してサーバや記憶装置などのハードウェア、インフラを提供するサービスです。データの保管のためのハードウェアを自前でそろえる必要がなくなるため、データ紛失トラブルを避けることができるサービスです。

クラウドサービスは、自身でコンピュータを管理するのではなく、他社から提供されるコンピュータ・サービスを利用するため、メンテナンスの必要がなく、すぐに利用できる利点があります。一方、ネットワーク上のサービスを利用することからセキュリティ上のリスクが存在します。2020年現在、クラウドサービスについてはAmazon、Google、MicrosoftなどがそれぞれAmazon Web Services（アマゾンウェブサービス）、Google Cloud Platform（グーグルクラウドプラットフォーム）、Microsoft Azure（マイクロソフト アジュール）といったサービスを提供し、世界的に大きなシェアを握っています。

図1　クラウドサービスの利用イメージ

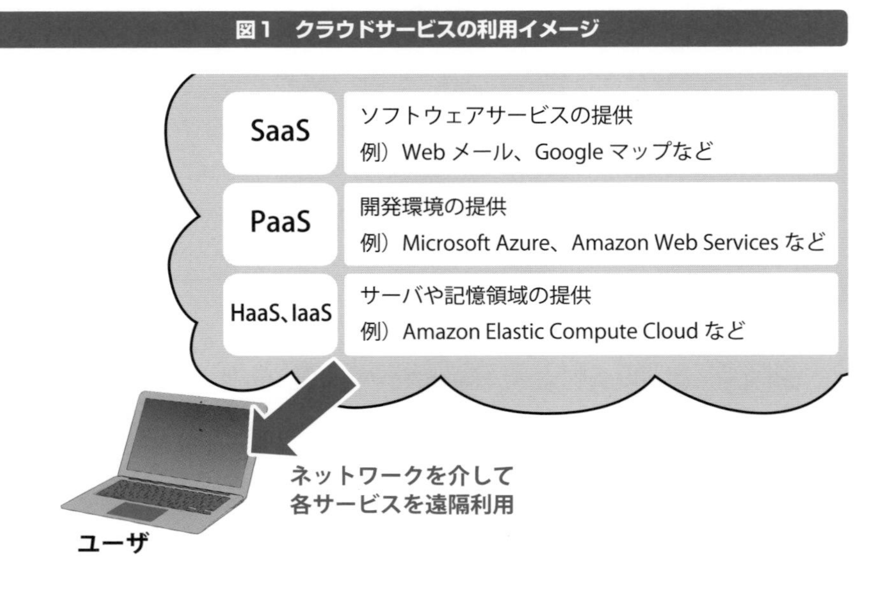

1-6 情報を活用する技術に関連する技術展望

機械学習

　機械学習とは大量に集められたデータを利用してそこに潜んでいるパターンを見つけ出し、推論やデータ分類のために利用しようとする人工知能分野の1つです。人工知能については過去に何度かのブームがあり、2010年代前半からディープラーニング（深層学習）と呼ばれる機械学習の手法により第3次人工知能ブームが訪れました。ディープラーニングはニューラルネットワークと呼ばれる人間の脳機能をモデルにした機械学習の手法の1つです。

　人工知能、機械学習、ニューラルネットワーク、ディープラーニングの関係は図1のようになります。

図1　機械学習の位置づけ

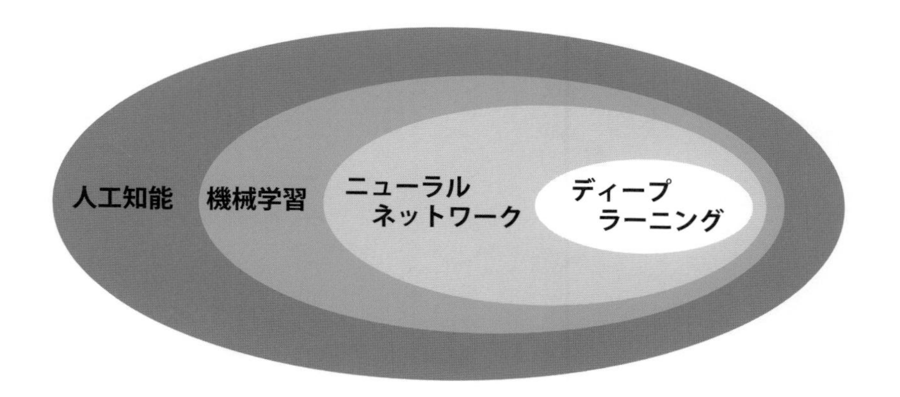

ディープラーニングは図2のように入力層、隠れ層、出力層という三種類の層からなります。

入力層は外部からのデータを受け取るための層で画像や音声などのデータが入力されます。

出力層は最終的なデータの出力がなされる層で画像認識であれば対象がなんであるか、音声認識であればその音が何という言葉であるかなどの判定結果が出力されます。

隠れ層は入力層と出力層との間にあり、入力層と出力層を多くの経路でつないでいます。それぞれの経路に重みという係数が与えられており、入力から入ったデータはこの係数をもとに重みづけされ足されていきます。足された結果は最終的な出力結果として出力層に出力されます。

図2　ディープラーニングの構造

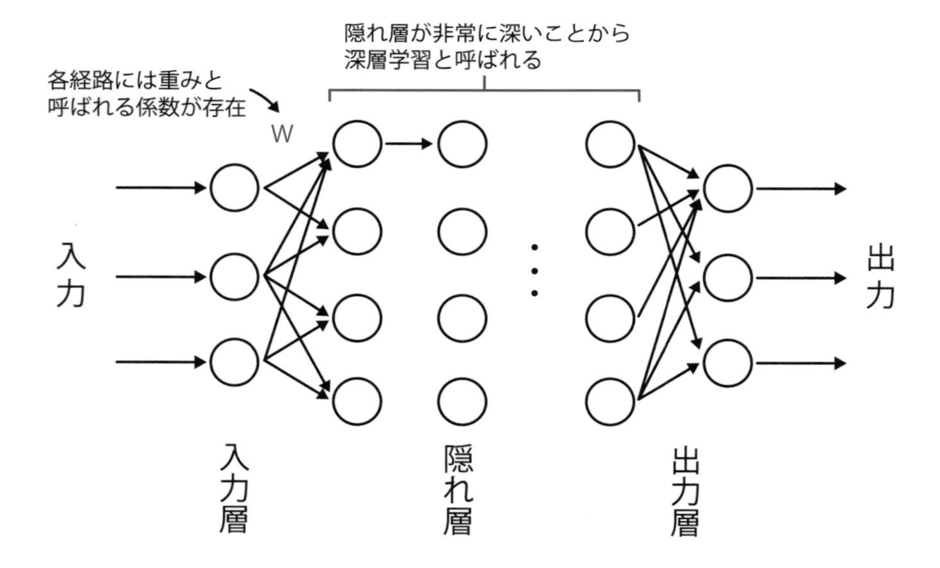

深層学習という名前は隠れ層がいくつも積み重なり層が深いことからきています。ディープラーニングの学習とは図3に示すように入力層と出力層に訓練データを与え、重みをその入出力に一致するように更新していくことにあたります。

ディープラーニングは特に画像、音声、自然言語処理などの分野で高い性能を示しており、分野によっては人間を超える性能を見せています。ディープラーニングの階層が深くなると学習すべき重みが非常に多くなり、多くの計算資源が必要になります。

このため、階層を深くする学習はハードウェア的に実装が困難なアプローチでした。しかしながら、クラウド・コンピューティングの普及による計算機資源の充実により、近年では実用可能な時間で学習が可能になっており、医療研究や自動運転などの産業分野での応用が進んでいます。

図3 ディープラーニングの学習

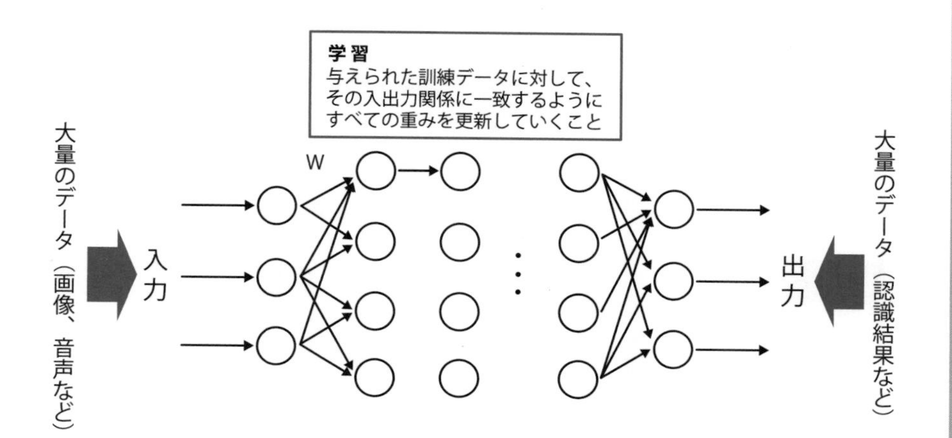

マイコンボードとシングルボードコンピュータ

マイコンはマイクロコンピュータ（Micro computer）、あるいは、マイクロコントローラ（Micro controller）の略称で、CPUやメモリ、I/Oポートなどを有した小型のコンピュータです。マイコンは小型の集積回路（IC：Integrated Circuit）チップで構成されているため、そのままでは利用することができません。

そのため、実際にはマイコンボードと呼ばれる電子回路基板を用いて開発を行うことが多いです。マイコンボードは、マイコンが組み込まれた電子回路基板であり、マイコンだけでなくUSBやシリアルポート、電源など接続インタフェースなどを有します。また、パソコンなどで記述したプログラムの書き込みなどを行える機能を持つものが多く、図4のような手続きにより開発を行います。

図4　マイコンボードを用いた開発プロセス

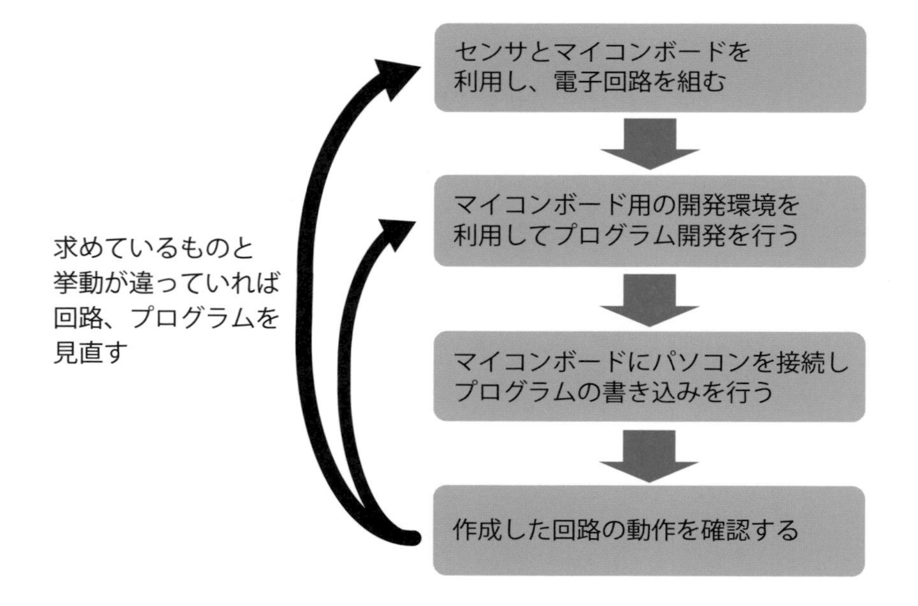

これに対し、現在では、ネットワークインタフェースなども備えたシングルボードコンピュータも多数提供され始めています。シングルボードコンピュータは一般的なマイコンボードと異なり、OSのインストールが可能です。このため、シングルボードコンピュータではグラフィカルユーザインタフェースが提供され、I/Oピンの制御だけでなく、オフィスソフトウェアやウェブブラウザなども利用できます（表1）。

ここではそれぞれの代表的な製品として、ArduinoとRaspberry Piを紹介します。

表1　マイコンボードとシングルボードコンピュータの違い

	マイコンボード	シングルボードコンピュータ
OS	インストール不可	インストール可
インタフェース	デジタル入出力 アナログ入出力など	デジタル入出力 イーサネット HDMI USBなど
提供機能	プロトタイプ開発に特化	一般的なPCで可能なことが（原理的には）すべて可能
開発方法	外部PCで開発を行いボードにプログラムを書き込む	コンピュータ上で開発を行う

Arduino

Arduino（アルドゥイーノ）は、現在、プロトタイプ開発用のマイコンボードとして広く知られたマイコンボードです。Arduinoはハードウェアである Arduinoボードとその開発環境であるArduino IDEからなります。ArduinoボードにはArduino UNO、Arduino Leonardo、Arduino microなどいくつか種類がありますが、その多くが数千円で購入できます。標準的なボードとしてはArduino UNOがよく用いられ、3000円前後で購入が可能です（図5）。

内蔵されているメモリや入出力ポートの数などに違いはありますが、基本的な開発方法は共通しています。開発はArduino言語と呼ばれるC言語に似た言語が用いられ、図6のようなArduino IDEと呼ばれる開発環境で開発を行います。また、シールドと呼ばれる拡張パーツを利用することでさまざまな機能を付加することができます。シールドにはバッテリ用シールド、Wi-Fiシールド、センサシールドなどがあり、電源周りからセンサ、通信方法などさまざまな拡張が可能です。

図5　Arduino UNO

出典：Wikipedia

図6　Arduino IDE

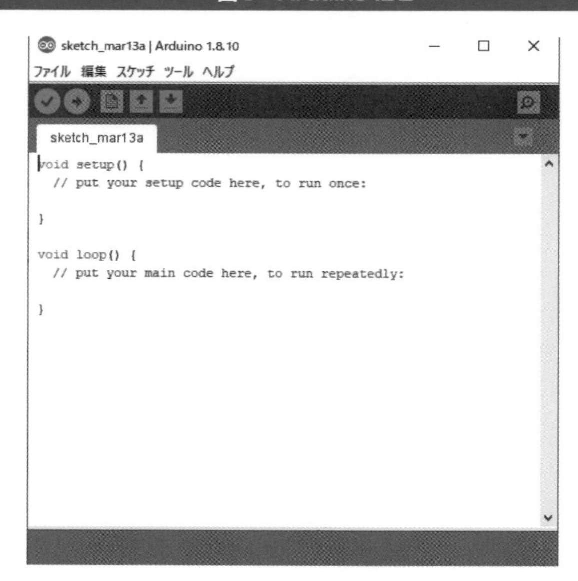

Raspberry Pi

Raspberry Pi（ラズベリーパイ）は、ARMプロセッサと呼ばれるCPUを搭載したシングルボードコンピュータです（図7）。イギリスのラズベリーパイ財団により教育目的で開発が開始されました。

Arduinoと異なり、Raspberry PiはRaspbian（ラズビアン）と呼ばれるLinuxで動作する小型のコンピュータであり、Arduinoに比べてより高度な開発を行うことができます。Ethernetも接続しているため、ネットワークへの接続も容易です。Linuxで動作することから、Raspberry Pi上でプログラム開発ができるだけでなく、グラフィカルユーザインタフェースを備え、Webブラウジングやサーバ運用なども可能です。

Raspberry Piは基本的にPCとしての利用を想定しており、入出力にはGPIO（General-purpose input/output：汎用入出力）と呼ばれるピンを利用します。マイコンボードと異なり、アナログ入力を受け付けることができないため、アナログ入力を受け付けたい場合には別途A/D変換回路が必要になります。

図7　Raspberry Pi 4 Model B

出典：Wikipedia

接続インタフェース

デバイスとゲートウェイはインタフェースを通して互いに接続します。接続方法には有線接続と無線接続があり、表2のようにそれぞれ利点、欠点があります。

有線接続の方法としてはシリアル通信やUSB接続、Ethernet（イーサネット）などが代表的です。有線接続は一般的に接続が安定しており、ほかの接続との干渉なども生じにくいという特長があります。その一方、ケーブルの敷設が必須で配線をどうするかという問題が常に起こります。

無線接続の方法としては無線LANやBluetooth（ブルートゥース）などが挙げられます。無線接続はケーブルが必要なく、レイアウトを考えることなく気軽に利用できる半面、ほかのデバイスとの電波干渉などが原因で接続が不安定になることがあり、また電波という特性から情報の漏洩の危険が常にあります。

表2　有線接続と無線接続の利点と欠点

	有線接続	無線接続
利点	接続が安定	ケーブルの配線が不必要
欠点	ケーブルの配線が必要	場合によっては接続が不安定 情報漏洩の可能性

シリアル通信

シリアル通信とはデータの送受信用の伝送路を1本または2本用意し、通信路に対して1ビットずつデータを送るような通信方式をいいます。シリアルには一連のという意味があり、RS-232C（アールエスニサンニシー）と呼ばれる規格が代表的な規格です。

RS-232Cで用いられる接続コネクタはD-sub（ディーサブ）と呼ばれる形式で図8、図9のようにD-sub 9ピンとD-sub 25ピンが存在します。厳密にはD-sub9ピンはRS-232Cの規格ではなくEIA-574と呼ばれる規格により規定されていますが、慣例的にRS-232Cといえば、D-sub9ピンによって提供されることがほとんどです。シリアルケーブルを挿すことのできるポートはシリアルポートと呼ばれます。

利用の際には、機器同士が用いる通信速度（ビットレート）やデータサイズなどをあらかじめ指定してから利用します。シリアル通信は古くから利用されている比較的単純な通信方法であり、C言語やPythonなど多くのプログラミング言語が標準でライブラリを用意しています。また、USBシリアル変換ケーブルを用いることでUSBを用いたシリアル通信も可能です。

図8　D-sub 9ピンのケーブル

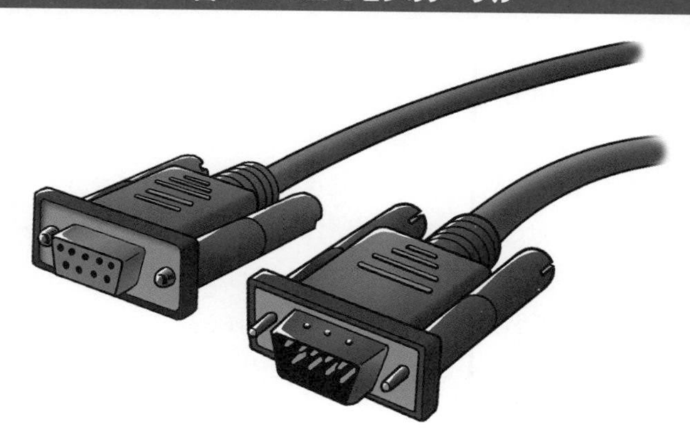

図9　D-sub 25ピンのケーブル

USB

USB（ユーエスビー）はユニバーサル・シリアル・バス（Universal Serial Bus）の頭文字をとった規格であり、パソコンやその周辺機器を接続する際に最もよく普及した規格の１つです。USBを用いることでキーボードやマウスなどのさまざまな周辺機器を接続できます。また、近年ではスマートフォンやタブレット機器への充電用の規格としてもよく用いられるようになっています。USBを用いた充電をUSB給電と呼びます。

USBには、もっとも古い1.0から3.1まで複数の規格があり、転送速度と電力の供給能力に大きな違いがあります。表３にUSBの規格とそれに対する最大転送速度、電力供給能力を示します。USB接続にはサイズの違いによって大きくUSB、mini USB、micro USBがあります。また、コネクタ形状の違いによってType-A、Type-B、Type-Cの３種類に分かれます。Type-Aは主としてパソコン用、Type-Bはプリンタなどの周辺機器で用いられています。Type-CはPC、プリンタ双方に用いられるほかスマートフォンなどのデバイスにも利用されています。表４に代表的なUSB接続の例を示します。また、図10、図11、図12にUSB Type-A、Type-B、

表３　USBの規格とそれぞれの最大転送速度および電力供給能力

規格	最大転送速度	電力供給能力
USB1.0	12Mbps	2.5W
USB1.1	12Mbps	2.5W
USB2.0	480Mbps	2.5W
USB3.0	5Gbps	4.5W
USB3.1	10Gbps	100W

表４　USBの形状とその用途

	Type-A	Type-B	Type-C
主な接続機器	パソコン	プリンタなどの周辺機器	スマートフォンなど（PC, 周辺機器双方に対応）
対応規格	USB1.0-USB3.1	USB1.0-USB3.0	USB2.0以降

Type-Cのコネクタ形状を示します。

図10　USB Type-Aのコネクタ形状

図11　USB Type-Bのコネクタ形状

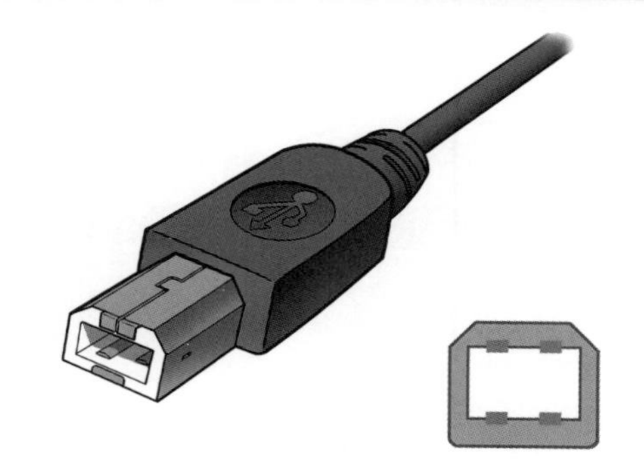

図12　USB Type-Cのコネクタ形状

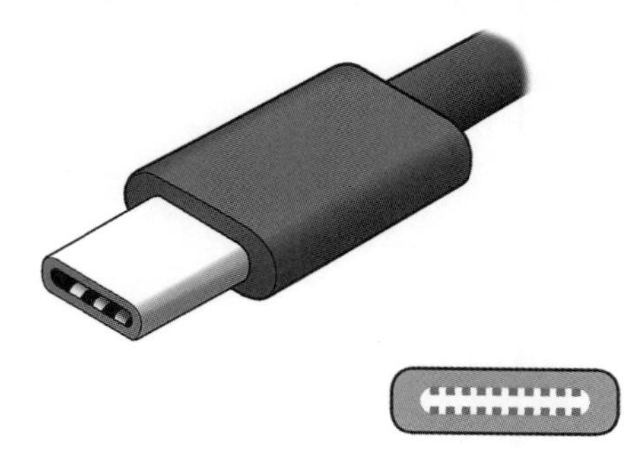

有線LAN

有線LANはLANケーブルと呼ばれるケーブルを用いてネットワーク接続を実現するネットワークシステムです。現在、標準的に用いられる有線LANの規格はイーサネット（Ethernet）と呼ばれ、IEEE 802.3という規格として公開されています。無線LANと異なり、電波環境によらず安定した通信を実現できます。また、接続が物理的に目にみえることから接続不良が起こったときにどこが問題かを特定しやすいというメリットもあります。

有線LANを実現するために用いられるLANケーブルはCATと呼ばれるカテゴリに分かれており、通信速度が異なります。表5に各カテゴリと最高通信速度を示します。光回線などの高速通信を利用していても、LANケーブルのカテゴリがその速度に対応していないと通信が遅くなる場合があります。図13にLANケーブルのコネクタ形状を示します。

表5　LANケーブルのカテゴリ

カテゴリ	伝送帯域	最高通信速度（理論値）
CAT5（カテゴリ5）	100MHz	100Mbps
CAT5e（カテゴリ5e）	100MHz	1Gbps
CAT6（カテゴリ6）	250MHz	1Gbps
CAT6A（カテゴリ6A）	500MHz	10Gbps
CAT7（カテゴリ7）	600MHz	10Gbps
CAT8（カテゴリ8）	2000MHz	40Gbps

図13　LANケーブルのコネクタ形状

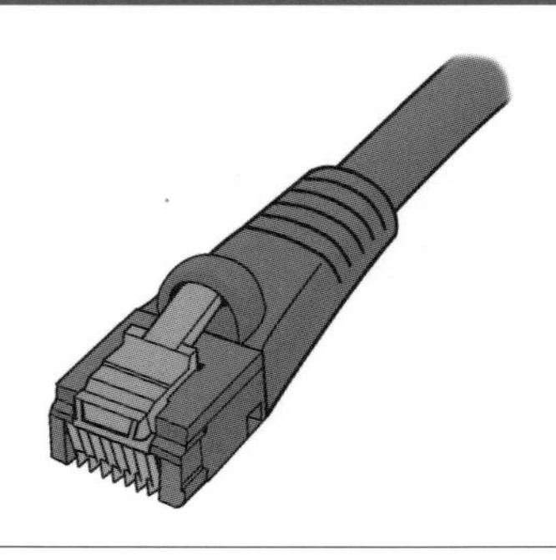

無線LAN

無線LANは無線通信を利用してネットワーク接続を実現し、データの送受信を行うシステムのことをいい、ワイヤレスLAN（Wireless LAN、WLAN）などとも呼ばれます。現在、標準的に用いられる無線LANの規格はIEEE 802.11と呼ばれ、この規格に準拠し、相互接続が可能な商品につけられる商標にWi-Fi（ワイファイ）という言葉があります。IEEE 802.11は、現在、無線LANサービスの標準的な規格となっており、無線LANサービスそのものを指してWi-Fiという言葉を利用することも多くあります。

図14にWi-Fiの仕組みを示します。Wi-Fiは端末からアクセスポイントを通じてインターネットへのアクセスを提供する無線LANサービスです。各アクセスポイントはSSIDと呼ばれる名前を持っており、利用者は端末から該当のSSIDを探し出し、アクセスポイントへと接続します。接続されたアクセスポイントは各端末に対し、インターネットへのアクセスを提供します。インターネットへの接続はアクセスポイントから直接なされることもあれば、ルータなどの中継器を介してなされることもあります。

図14 Wi-Fiの仕組み

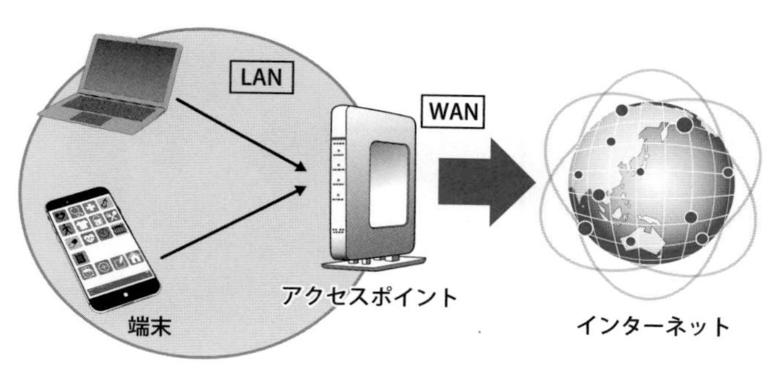

Bluetooth

Bluetooth(ブルートゥース)は近距離無線通信規格の1つでノートパソコンやスマートフォンで広く用いられる無線規格です。Bluetoothの規格はIEEE 802.15と呼ばれる無線規格で規定され、近距離でのデバイス間での通信をメインにしていることから無線PAN(Wireless Personal Area Network)などとも呼ばれます。Bluetoothは基本的には1対1の通信を想定されて作られた技術で、キーボードやイヤホン、スピーカーなど個人で利用する機器を無線で利用する際によく用いられます。図15にBluetoothの仕組みを示します。Bluetoothはペアリングと呼ばれる操作を通じて端末同士を接続します。ペアリングがすむと利用端末から各デバイスを無線で認識できるようになる仕組みです。

ほかの応用例として、ネットワーク接続が可能な機器をルータとして利用するテザリング機能や街中でコンビニやスーパーなどから情報を自動で受け取るbeaconと呼ばれる技術が知られています。テザリング機能はWi-Fiでよく用いられますが、Bluetoothでも利用可能であり、図16のようにネットワークに接続可能な端末とBluetoothでペアリングをし、ネットワーク接続可能な端末を通してインターネッ

図15 Bluetoothの仕組み

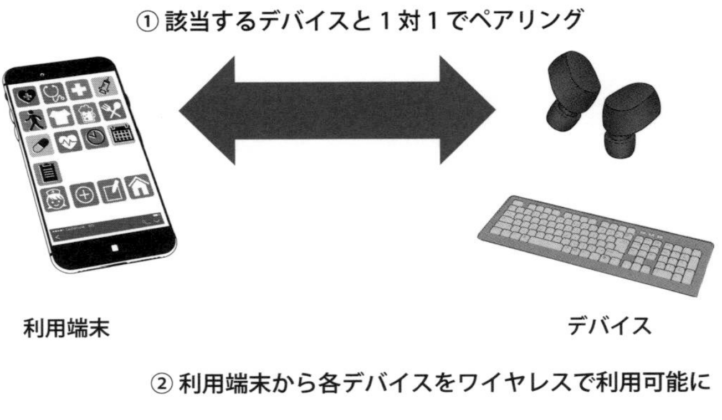

トへの接続を可能にする技術です。一方、beaconでは図17のようにコンビニやスーパーなどがBluetooth発信機を各店舗に設置し、情報を発信しつづけています。Bluetooth接続を受け付けている利用者が店舗から発せられている電波の範囲に近づくとコンビニやスーパーからのクーポンや道案内の情報などを自動的に受信できる仕組みです。

図16　テザリングの仕組み

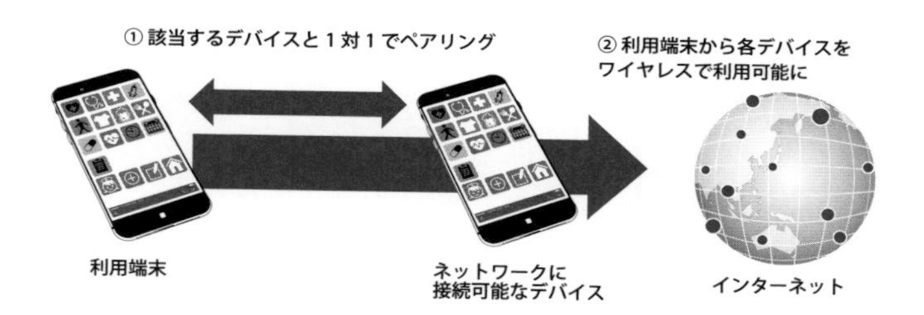

図17　beaconの仕組み

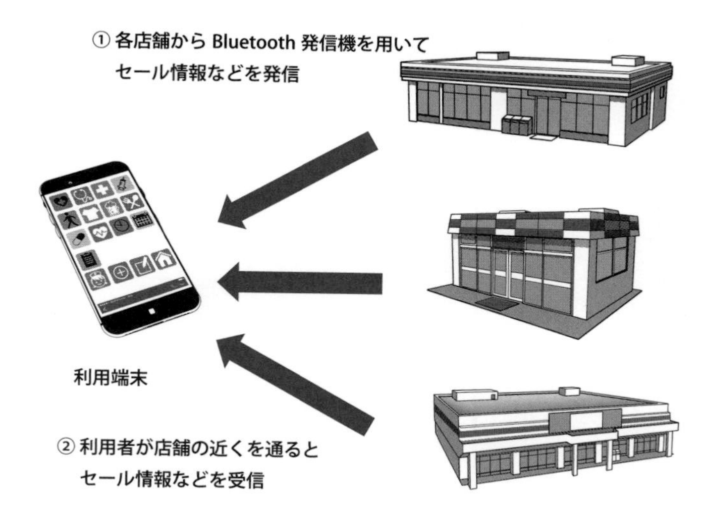

MEMO

第2章

センサの基礎知識

現代社会にセンサは欠かせない装置ですが、その仕組みはどのようになっているのでしょうか。センサには受信する情報の違いやセンシングの仕方によっていくつかの分類があります。ここではセンサの基礎知識から役割、分類などについて解説します。

2-1

センサとはなにか

センサとは、物理情報を人の理解しやすい形に変換する装置の総称です。図1のように人間にはわかりにくい観測情報を入力とし、物理法則や化学法則をうまく使って、人間にわかりやすい形の出力に変換するような装置になります。コンピュータ上で処理しやすい信号である電気信号に変換されるセンサが多いですが、それだけでなく、入力信号を人間にわかりやすい観測用の信号に置き換えるような装置はすべてセンサにあたります。

図1　センサの役割

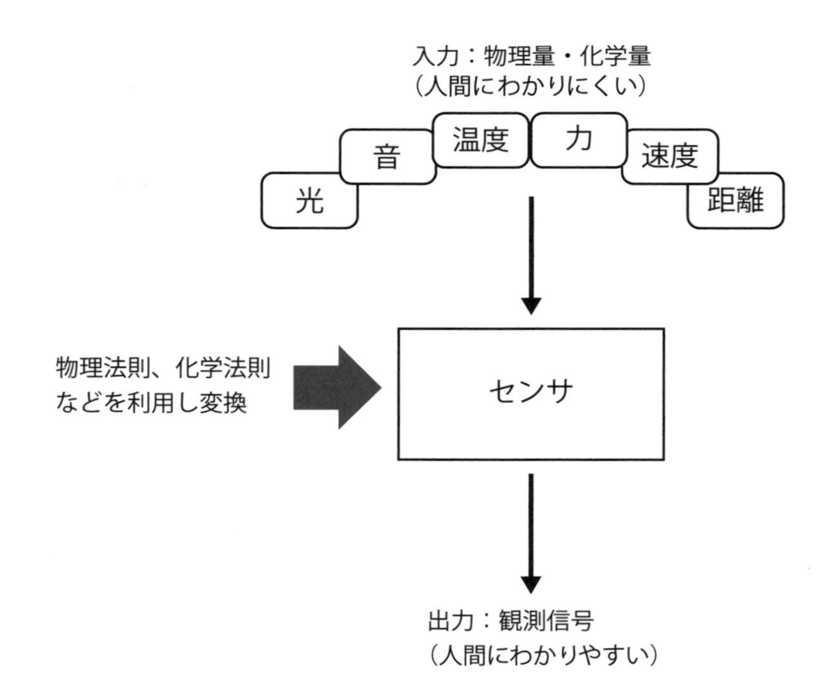

たとえば、火にかけてお湯を沸かすと音が鳴る笛吹ケトルは、お湯が沸くという現象を音に変換することで人間にとってわかりやすい信号に変えています。広く言えばこの笛吹きもセンサの一種といえるでしょう（図2）。

図2　笛吹ケトル

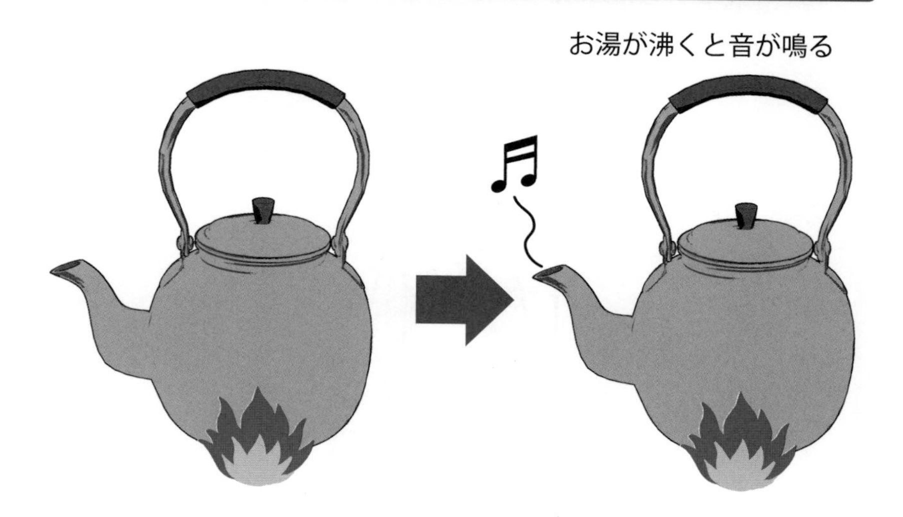

図3に人間の感覚機能とセンサの関係を示します。センサにはsense（感じる）に接尾語であるorを付けた"感じるもの"という意味があります。人間には五感（視覚・聴覚・味覚・触覚・嗅覚）がありますが、センサはこれを代替し、環境中の情報を取得するための装置です。現在のセンサが得意とする領域は光や音、力などの物理量の測定で、人間でいうと視覚・聴覚・触覚にあたる感覚です。赤外線や磁気、二酸化炭素など人間の感じることのできない情報もセンサを使えば検知することができます。

図3 人間の感覚機能とセンサの関係

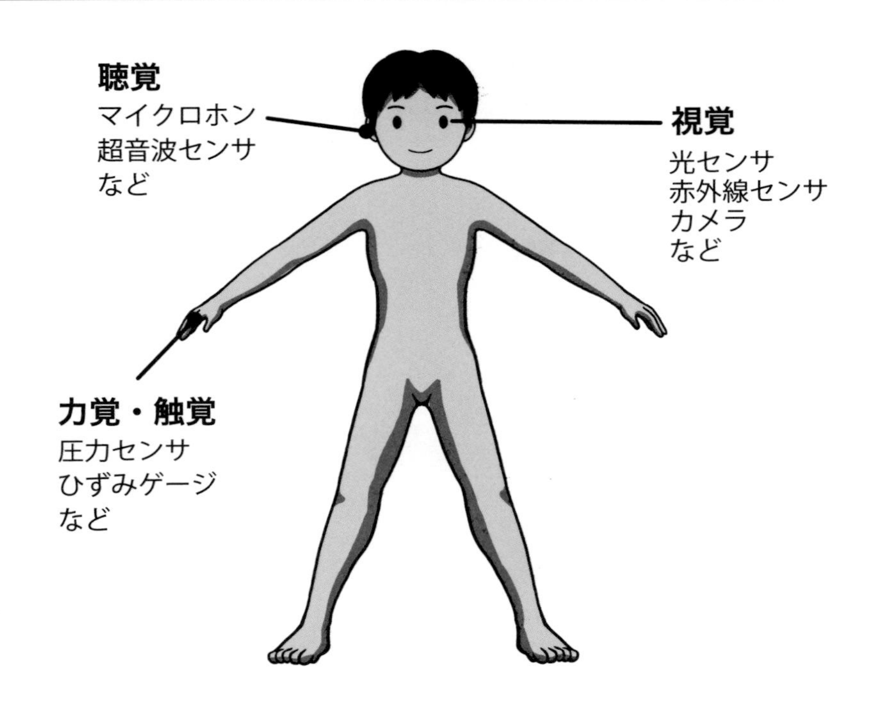

一方で味覚や嗅覚は、少しずつ発達し始めているものの視覚・聴覚・触覚に比べるとまだ開発途上な領域です。これは味覚や嗅覚がどちらかというと物質の構成などの化学的な性質で決まり、また、その善し悪しが単純な量だけでは決めにくいことが挙げられます。

以下に本書で取り上げるセンサと人間の感覚機能との関係を示します。

視覚

視覚は外部から光を受け取る感覚です。光の検知はセンサ技術がもっとも発展している領域の1つであり、もっとも単純な光センサがこれにあたります。相手との距離を測る距離センサなども視覚と関連のあるセンサです。

人間の視覚は380nm程度から750nm程度の波長の光（可視光）しか見ること

ができませんが、赤外線センサを用いればより長い波長の光を検知することも可能です。また、カメラも広く使われている光を検知するセンサになります。

聴覚

聴覚は外部からの音を検知する感覚です。音の検知には一般に音圧センサ（マイクロホン）が用いられます。人間の聴覚は20Hzから20000Hz程度の音しか聞こえませんが、超音波センサを用いるとより高い周波数の音を検知することも可能です。

超音波センサは単純に超音波を検知する用途だけでなく、物体との距離の測定にも用いられます。人間は超音波を用いた距離の計測を行いませんが、コウモリやイルカは超音波を用いて距離の測定を行っています。

力覚・触覚

力覚はものが触れたときに感じる力の感覚をいいます。一方、触覚は外部にあるものに触ることで生起する手触りなどを検知する感覚です。これらは互いに密接な関係がありますが、区別されて扱われることが多いです。力感覚や手触りはとても複雑な感覚で細かい力覚や触覚を検知する技術はいまだ開発の途上ですが、力覚センサや圧力センサといった形で開発が進んでいます。

力覚に対応するセンサには、ひずみゲージや力覚センサがあります。触覚に対応するセンサには圧力センサがあります。

味覚・嗅覚

味覚や嗅覚は外部にあるものの味やにおいを検知する感覚です。物理的な量を検知する視覚・聴覚・触覚と異なり、味覚や嗅覚には対象物の化学的な性質の検知が不可欠です。

化学物質の検知という意味ではpHセンサやCO_2センサなどが該当しますが、味覚や嗅覚の本格的な検知は視覚・聴覚・触覚に関連するセンサに比べると開発途上にあるのが現状です。

2-2
IoTにおけるセンサの役割

IoTは、世の中のあらゆるモノをインターネットにつなぎ情報を共有する技術です。図1にIoTの枠組みにおけるセンサの位置づけを示します。センサはこの図のようにIoT全体構造の中で末端に位置し、それぞれのモノが置かれた状況やモノの周りの状況を取得するための装置として利用されます。

たとえば、医療機器では、患者の体温や脈拍など多くの身体情報を取得します(図2)。自動運転では、車間距離や車の速度、加速度、位置情報など安全のためにさまざまな情報が必要です。農業分野では、光の照射量や水分量、pHなどの環境情報を取得する必要があります。IoTによって実現される内容は多種多様ですが、対象となるモノから必要となる情報を集め、それを解析することではじめて実現できるという点では共通しています。

これらの情報を取得するにはその目的に応じた適切なセンサが不可欠になります。

図1　IoTにおけるセンサの位置づけ

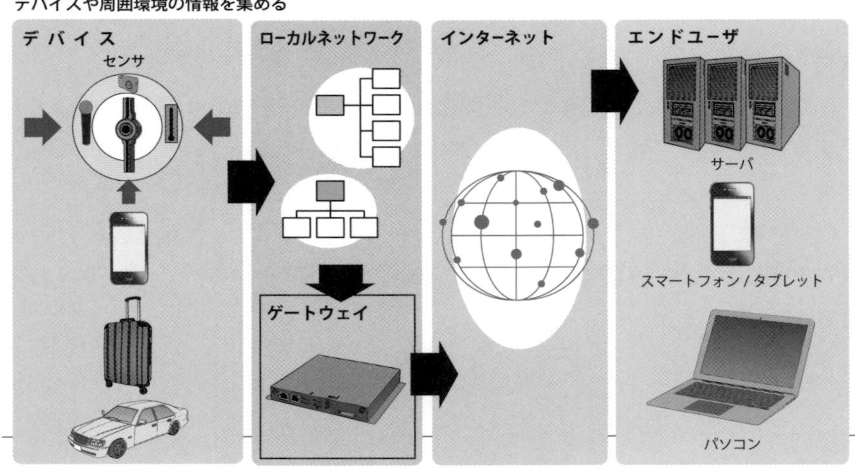

図2　IoTの応用分野に必要な情報

交通分野

車間距離・位置情報・速度情報など

医療分野

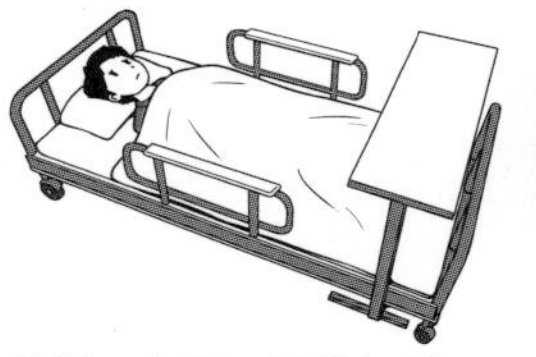

体温・血圧・脈拍など

センサによる
情報の取得が
必要不可欠

農業分野

日照時間・水分量・pH 情報など

2-3
センサの分類

物理センサ・化学センサ

物理センサ、化学センサは取得する情報が物理的な情報か、化学的な情報かによるセンサの分類方法です。光や音、加速度などの物理量を計測するセンサを物理センサと呼びます。これに対し、化学物質の種類やpH値など化学量を計測するセンサを化学センサと呼びます。

生物の五感に対応づけた場合、視覚、聴覚、触覚に対応する情報を取得するセンサは物理センサ、味覚と嗅覚に対応する情報を取得するセンサは化学センサに対応します。

センサにより対象となる物理、化学現象は多様ですが、ここではそれらを表1に示す6つに分類します。物理センサ、化学センサは既知となっている物理法則、化学法則を利用してこれらの6つを相互に変換し、人間にとってわかりやすい形に変換します。

表1　物理センサ・化学センサのセンシング対象

対象となる物理量、化学量	内容
電磁波（光学的な性質）	照度、波長、偏光など
機械量（力学的な性質）	力、加速度、距離など
熱（熱力学的な性質）	温度、熱量、比熱など
電気信号（電気回路的な性質）	電圧、電流、誘電率など
磁気（電磁気学的な性質）	磁気、磁束密度、透磁率など
化学（化学的な性質）	物質の種類、pH、湿度など

6つの分類それぞれの変換に利用される物理法則、化学法則の例は表2のとおりです。

表2　入出力の変換に利用される物理法則、化学法則

	光	機械量	熱	電気	磁気	化学
光	フォト・ルミネッセンス	光音響効果		光電効果		
機械量	光弾性効果	ニュートンの運動則	摩擦熱	圧電効果	磁歪効果	
熱	黒体放射	熱膨張	リーギ・ルデュック効果	焦電効果	キュリー・ワイスの法則	
電気	エレクトロ・ルミネッセンス		ペルチェ効果 トムソン効果	オームの法則	ビオサバールの法則	
磁気	ファラデー効果 コットン・ムートン効果	磁歪効果	エッチングス・ハウゼン効果	磁気抵抗効果 ホール効果		
化学	炎色反応		酸・アルカリ反応	電極反応		酵素分解

接触センサ・非接触センサ

接触センサ、非接触センサはセンシングの対象にセンサが触れるか、触れないかによる分類です。表３に接触センサ、非接触センサの例を示します。

接触センサはセンシング対象にセンサを接触させることで状態を計測するセンサです。一方、非接触センサはセンシング対象にセンサを接触させることなく状態を計測するセンサです。

センサが対象に触れることで対象の挙動が変化してしまう可能性があるため、非接触でセンシングできればその方が望ましいことも多いのですが、ひずみや圧力など、接触することでより正確に測定が可能な情報も多くあります。

表３　接触センサと非接触センサ

接触センサ	非接触センサ
ひずみゲージ、圧力センサ、力覚センサ、熱電対など	光センサ、赤外線センサ、湿度センサ、距離センサなど

センシングとリーディング

一般にセンサというと光や音、温度、pHなど物理量、化学量として定義されるような量を計測するものをさすことが一般的です。しかしながら、物流のグローバル化やIT技術の普及、IoTの進展などにより、人が情報を残すためのセンシング技術が発達し始めています。バーコードや2次元コード、RFIDなどがその事例です。

これらの技術は人工的なコードや電波を読み取る技術であり、一種のセンサ技術になりますが、自然界の情報を読み取るセンシング技術とは少し性質が異なります。そこで本書ではこれらをより明確に区別するため、自然界からの物理量、化学量を計測するための処理をセンシングと呼び、人が情報をやり取りするための処理をリーディングと呼ぶことにします。表4にセンシングとリーディングの例を示します。

表4　センシングとリーディング

センシングのためのセンサ	リーディングのためのセンサ
光センサ、音圧センサ、赤外線センサ、ひずみゲージなど	バーコード、2次元コード、GPS、RFIDなど

センシング：自然情報の読み取り

センシングとはセンサを用いて自然情報の読み取りを行うことをいいます（図1）。センシングは自然界にある物理情報や化学情報を物理法則や化学法則を利用することで変換し、人間が利用しやすい形で取得しようとする技術です。センサといった際に通常イメージされる読み取り方法だといえます。

図1　センシングの概要

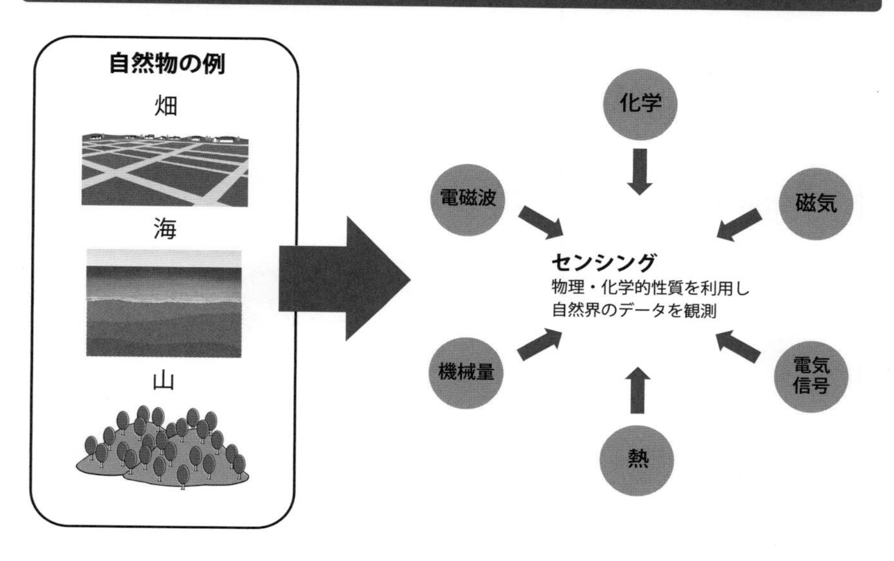

リーディング：人工情報の読み取り

リーディングとは決められたルールに基づきデータをやり取りすることで人工物の情報を読み取ることをいいます（図2）。自然界にある情報を使うのではなく、人工的につくられたデータを利用することで人工物からの情報を利用しやすい形で取得しようとする技術です。

センシングでは受け手であるセンサ側の工夫がなされることが一般的ですが、リーディングでは受け手であるセンサ側だけではなく、送り手である人工物側での符号化技術も重要になります。リーディングの技術は送り手と受け手が決められたルールの下で情報をやり取りする技術であり、受信側と送信側で適切なルールを決め、できるだけ通信しやすい方法で情報のやり取りを行っています。

図2 リーディングの概要

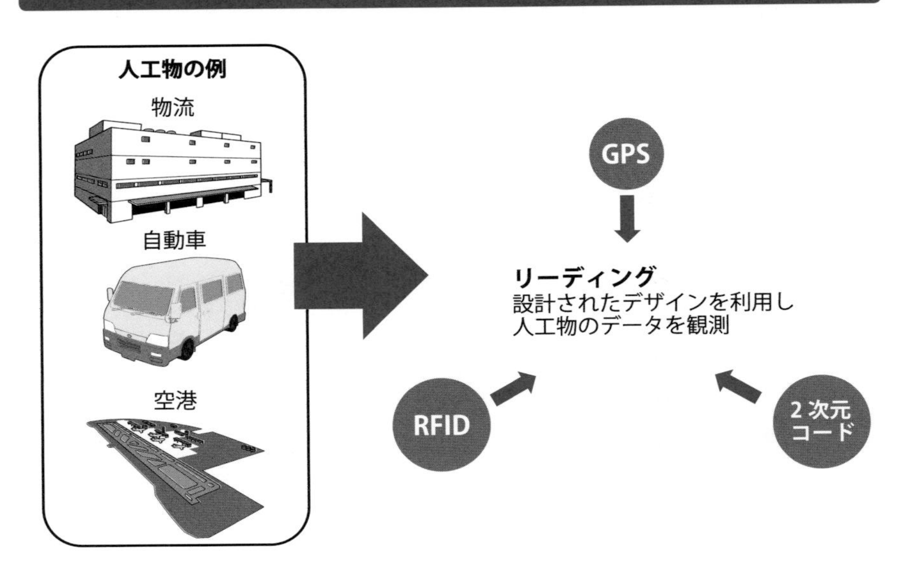

アクティブセンサとパッシブセンサ

アクティブセンサとパッシブセンサはセンシングの対象に対して、能動的に働きかけるか、働きかけないかを基準にした分類です。アクティブ（Active）には能動的なという意味があり、パッシブ（Passive）には受動的なという意味があります。表5にアクティブセンサとパッシブセンサの例を示します。

アクティブセンサは、対象物に能動的に働きかけないと観測したい物理量が測定できないときに用いられるセンサです。超音波センサや赤外線センサなど距離や速度の測定に用いられるセンサがこれにあたります。

パッシブセンサは、対象物から計測すべき量がすでに放出されているような場合に用いられるセンサです。光や音、熱など対象物に対して能動的に働きかけなくてもその値が計測できるような場合に用いられます。

表5 アクティブセンサとパッシブセンサ

アクティブセンサ	パッシブセンサ
超音波センサ、赤外線センサなど	光センサ、温度センサ、音圧センサなど

第3章

センシング：物理・化学センサとその仕組み

世の中にはさまざまな種類のセンサがありますが、本書では自然物のセンシングを可能にする物理・化学センサと人工物の読み取りを可能にする情報処理センサに分類します。ここでは光や音、加速度やpHなどの物理量や化学量を計測・変換する物理センサ・化学センサについて、その仕組みを解説していきます。

3-1

光センサ1（CdSセル）

価格帯：数十円から数百円程度

用途：照度測定、物体検知など

入力と出力：<入力>光、<出力>抵抗の変化

安価で手軽な光センサ

CdSセルは非常に安価な光センサとして知られ、光センサとして広く利用されています。CdSは硫化カドミウムと呼ばれる半導体であり、光が照射されると抵抗値が下がります。図1にCdSセンサの例を示します。光センサとなるCdSは数mm程度の小さなものから存在し、価格も安価で広く利用される光センサです。しかしながら、カドミウムはRoHS指令（ローズしれい）と呼ばれるEU(欧州連合)の規制の対象元素となっているため、EUに出荷する製品には利用できなくなっています。

CdSは光を照射したときに起こる内部光電効果と呼ばれる現象を利用した光センサです。内部光電効果とは、物体に光を当てたとき、物体内部の自由電子が一時的

図1　CdSセル

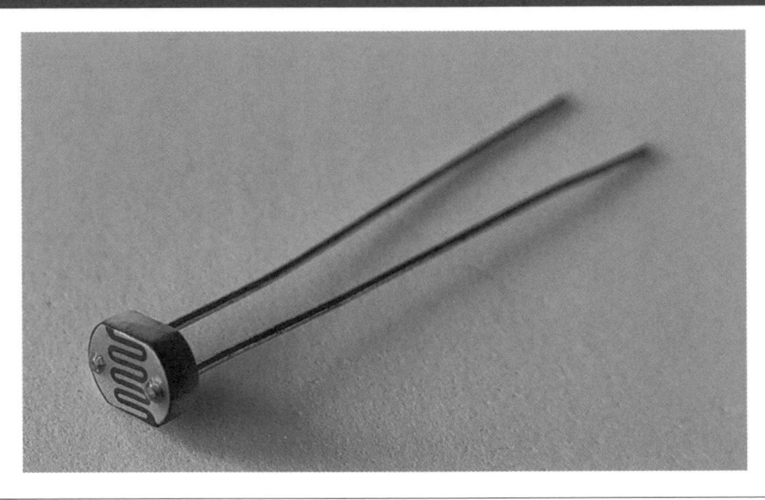

に増加し、抵抗値が変化する現象のことを言います。CdSではこの現象のために光を当てると抵抗値が下がります。光の照射によって抵抗値が下がることからフォトレジスタとも呼ばれます。

レジスタとは英語で抵抗を意味します。CdSの抵抗の変化を直接測定できればセンサとして利用できますが、実際には図2のような簡単な回路を作り、より測定しやすい電圧の変化として検出することがほとんどです。図2の回路では抵抗とCdSセルを直列につなぎ、直流電源につないでいます。光がCdSセルに照射されると抵抗値が下がり、結果としてCdSセルにかかる電圧が降下します。この電圧降下を測定することで光が当たったことを検知できます。

このような回路を作り、光センサにかかる電圧を測定すると、光の量の変化に応じてセンサにかかる電圧が変化します。温度センサであるサーミスタを利用する際にも似たような回路を作ります（サーミスタ参照）。

図2　CdSセル利用の際の回路例

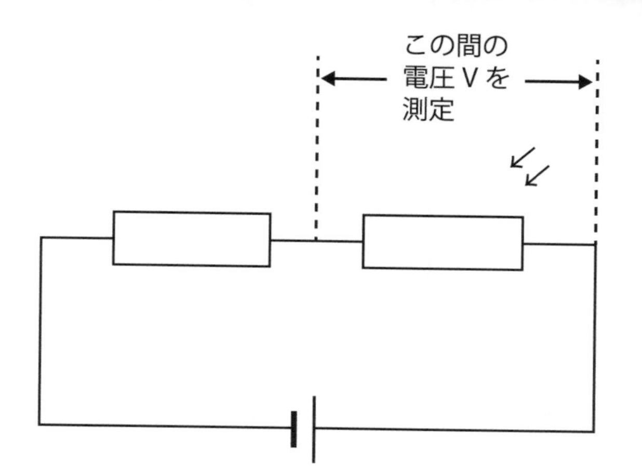

3-2

光センサ2（フォトダイオード）

価格帯：数十円から数百円程度

用途：照度測定、太陽電池など

入力と出力：＜入力＞光、＜出力＞起電力の発生

太陽電池にも利用される光センサ

フォトダイオードとは、フォトレジスタと並び、光センサとしてよく用いられるセンサです。フォトダイオードは、内部にp型半導体とn型半導体を接合したpn接合を有します（p型半導体とn型半導体の間に真性半導体を挟んだpin接合であることもあります）。

図1　フォトダイオード

pn接合を持つフォトダイオードが外部から光を受けると内部で光起電力効果と呼ばれる現象のため、内部に起電力が生じます。言い換えれば、フォトダイオードに光を当てると電力が発生することになります。この電流を利用することで光の照射の有無を検知することができます。

フォトダイオードはフォトレジスタと似たような用途に用いることができますが、フォトレジスタと比べ、より正確に光強度を測定したい場合に用いられることが多いです。

フォトダイオードをセンサとして利用する際には光の入力に対して電圧が変化を検知できるような形で回路を組みます。実用的にはもう少し複雑な回路を組むことが多いですが、原理的には図2のような回路を組むことで電圧の検知が可能です。

光を当てると電力が発生するというフォトダイオードの持つ性質はセンサとしてだけではなく、別の用途にも用いられます。たとえば、フォトダイオードはセンシングのためではなく、光を電気に変換する図3のような太陽電池としても利用されます。

図2　フォトダイオード利用の際の回路例

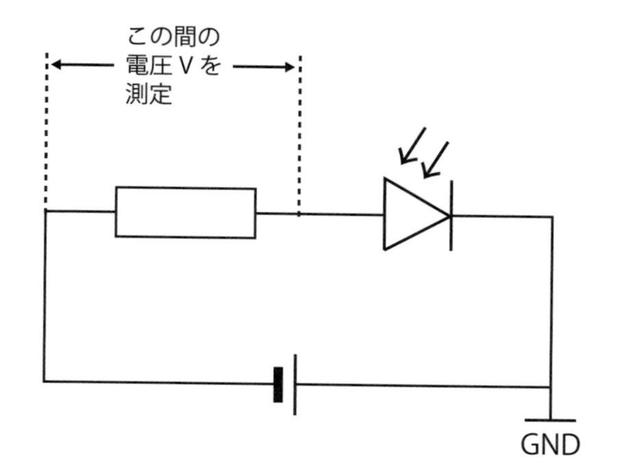

図3　太陽電池

3-3

赤外線センサ

価格帯：数百円から数千円程度　※赤外線サーモグラフィなどの製品は数万円から数百万円

利用用途：距離の測定、体温の測定など

入力と出力：<入力>赤外線、<出力>電圧

距離の測定や温度検知にも用いられる赤外線センサ

赤外線センサは赤外領域の光を検知するセンサです。光センサは人間が目で見ることのできる光（可視光）に反応するセンサであるのに対し、赤外線センサはそれよりも波長が長く目には見えない赤外線を検知します。波長の違いはありますが、基本的には赤外線という光を検知するセンサであり、光検出器を用いたセンサになります。

図1　赤外線距離センサ

赤外線センサはさまざまな用途に利用されます。たとえば、赤外線を発光する発光素子と、赤外線を受光する受光素子を組み合わせることで距離センサとして利用することができます。距離センサとして用いられる赤外線センサは発光素子と受光素子が一体となったセンサモジュールとして販売されているものも多くあります。図１に赤外線距離センサを示します。発光素子から出た赤外線が物体にあたると反射して受光素子にあたります。この時の赤外線の強さの違いによって距離を測定することができます。一般的なセンサモジュールでは発光素子用の電源をつなぐ線、受光素子の電圧変化を検知する線、GND用の線の３本の線が用意されており、マイコンなどで簡単に扱うことができるようになっています。図２に赤外線距離センサの概要を示します。

また、熱を発生するものからは赤外線が発生することから熱検知用のセンサとしても用いられます。図３のような簡易な赤外線温度センサは光センサと似たような形で利用できます。より高度な機能を持つサーモグラフィなども赤外線温度センサの一種で、図４のようなスマートフォンに搭載可能な製品も販売されています。

図２　赤外線距離センサの概要

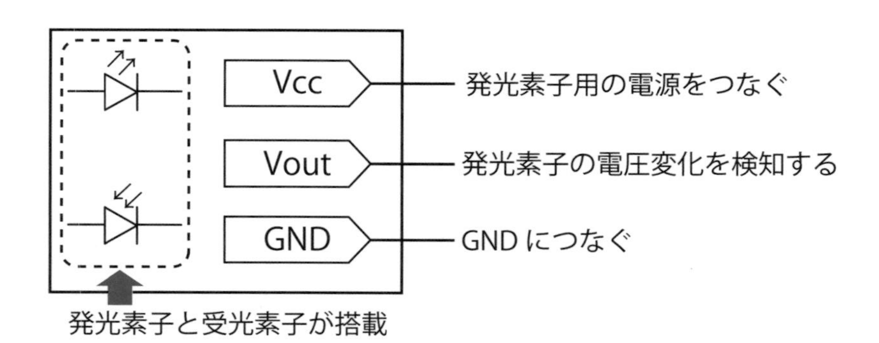

図3　赤外線 温度センサ

図4　スマートフォン用サーモグラフィ

参考Web：https://www.flir.jp/products/flir-one-pro/

3-4

温度センサ（サーミスタ）

価格帯：数十円から数百円程度

利用用途：精密機器の温度変化の測定、過電流の保護など

入力と出力：<入力>温度、<出力>抵抗変化

温度に対して抵抗を変化させる温度センサ

サーミスタは温度の変化に応じて抵抗が変化するようなセンサです。温度に対する抵抗の変化の違いによりいくつかの種類がありますが、主なものとしてNTCサーミスタ、PTCサーミスタの2種類があります。温度が上昇すると抵抗値が下がるサーミスタをNTCサーミスタといいます。一方、温度が一定値を超えると急激に抵抗が上昇するサーミスタをPTCサーミスタといいます。図1、図2にNTCサーミスタとPTCサーミスタの例を示します。

NTCサーミスタを用いると温度の段階的な変化を知ることができるため、精密機器の温度変化の測定などに利用されます。PTCサーミスタは温度の上昇に対して抵抗値が上昇するため、過電流保護などの用途で利用されます。

図1　NTCサーミスタ

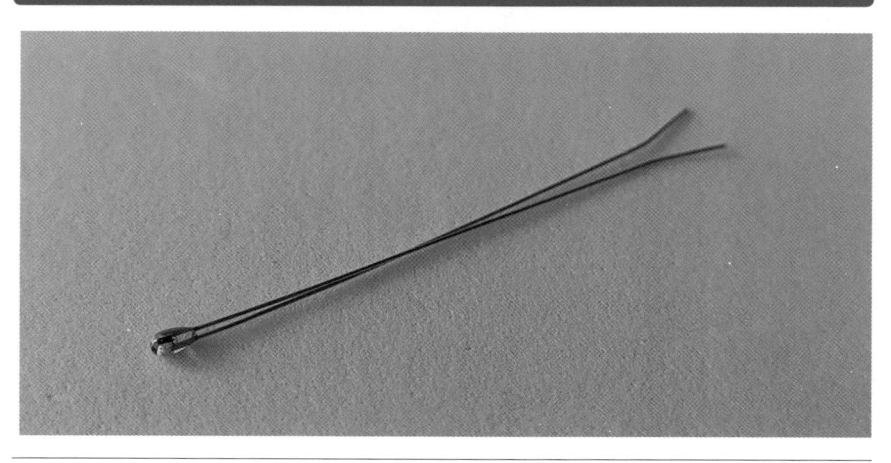

サーミスタで温度を測定する際には図３のような簡単な回路を作りより測定しやすい電圧の変化として検出します。このような回路を作り、サーミスタにかかる電圧を測定すると、光の量の変化に応じてセンサにかかる電圧が変化します。図３の回路では抵抗とNTCサーミスタを直列につなぎ、直流電源につないでいます。NTCサーミスタの温度が上がると抵抗値が下がり、結果としてNTCサーミスタにかかる電圧が降下します。この電圧降下を測定することで温度が上がったことを検知できます。光センサであるフォトレジスタを利用する際にも似たような回路を作ります（CdSセル参照）。

図２　PTCサーミスタ

図３　NTCサーミスタ利用の際の回路例

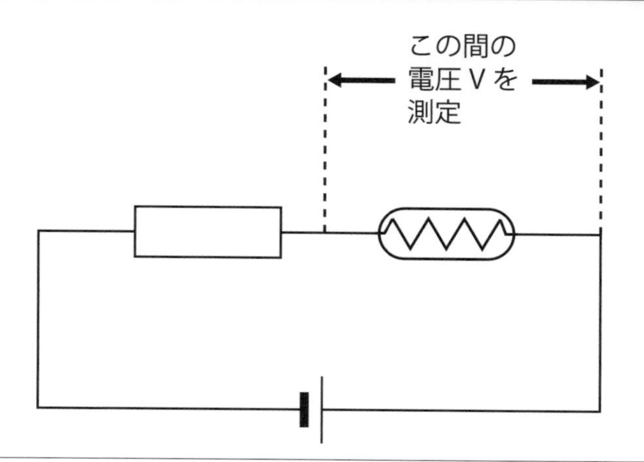

3-5

温度センサ（熱電対）

価格帯：数百円から数千円程度

利用用途：温度測定、定電圧の発生用など

入力と出力：＜入力＞温度、＜出力＞起電力

温度差に対して起電力が生じる温度センサ

熱電対は異なる2つの金属を組み合わせて作られた回路を用いたセンサです。2つの異なる金属を接続して回路を作り、接点間で温度差を与えると起電力が生じます。たとえば、図1のように金属Aと金属Bをつないだ閉回路を作ります。金属Aと金属Bの接点aと接点bの温度を互いに異なる温度T1、T2にすると、閉回路中に電流が流れます。この現象はゼーベック効果と呼ばれる現象で、1821年にトマス・

図1　熱電対の原理

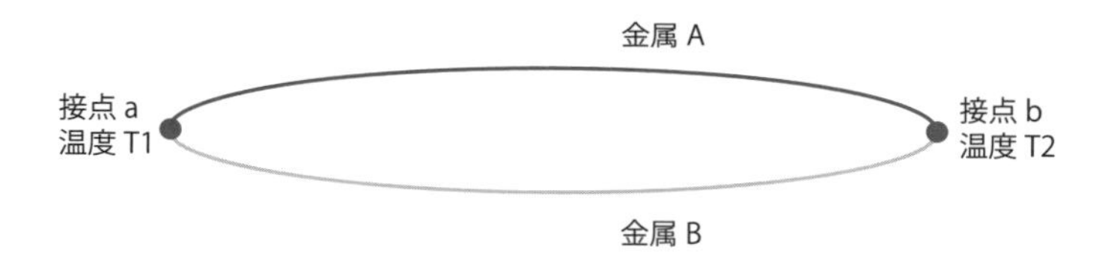

図2　熱電対

ゼーベックにより発見されました。ゼーベック効果によって発生する電流を流そうとする働きのことを熱起電力と呼びます。ゼーベック効果により発生する起電力は金属の材質と両端の温度差のみで決まることが知られており、発生する起電力から温度を逆算する形で温度を測定することができます。図2に熱電対の例を示します。

利用の際には、熱電対の片方の金属の温度を固定し、もう片方を対象物の温度測定に使うことで発生する熱起電力を測定します。基準温度を一定にするため、片方の接点を氷水などにつけることで温度を固定し、もう片方を対象物にあてることで発生する熱起電力を測定します（図3）。温度補償回路の内蔵された計測器を利用することで温度を測定することも可能です（図4）。温度を固定する方の接点を基準接点、測定する側の接点を測温接点と呼びます。

図3　熱電対による温度の測定1

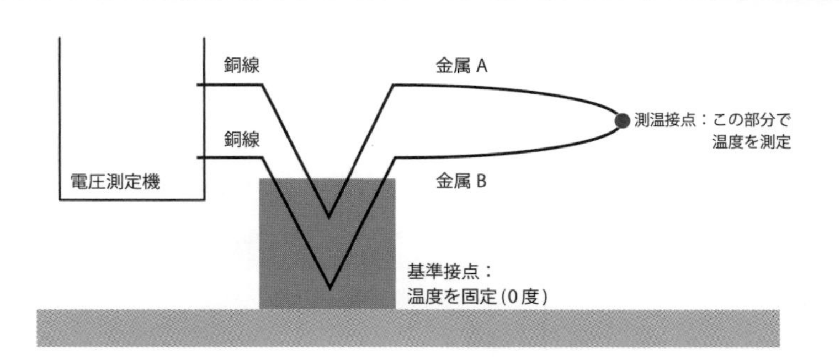

図4　熱電対による温度の測定2

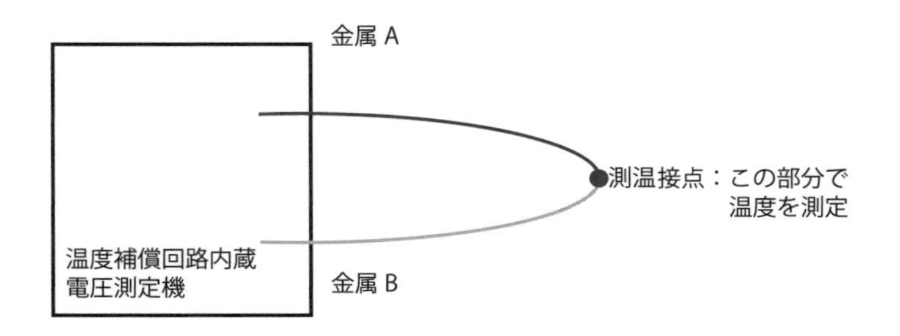

3-6

湿度センサ

価格帯：数百円から数万円程度

利用用途：湿度測定、空調、加湿器、除湿器など

入力と出力：<入力>湿度、<出力>抵抗式：抵抗変化、静電容量式：静電容量変化

水の吸着で湿度を測る湿度センサ

湿度センサとは空気中の湿度を測定するセンサです。ここではよく用いられる電気式湿度センサについて説明します。

抵抗式と静電容量式の２種類があります。抵抗式は、湿度の違いに応じて抵抗が変化するような湿度センサです。静電容量式は、湿度の違いに応じて静電容量が変化するような湿度センサです。どちらのセンサも高分子を感湿材として用います。

図１に抵抗式湿度センサの概要図を示します。抵抗式湿度センサでは、電極は互いに接触しない形で設置され、間に高分子を挟み込みます。電極が接触していない

図１　抵抗式湿度センサ

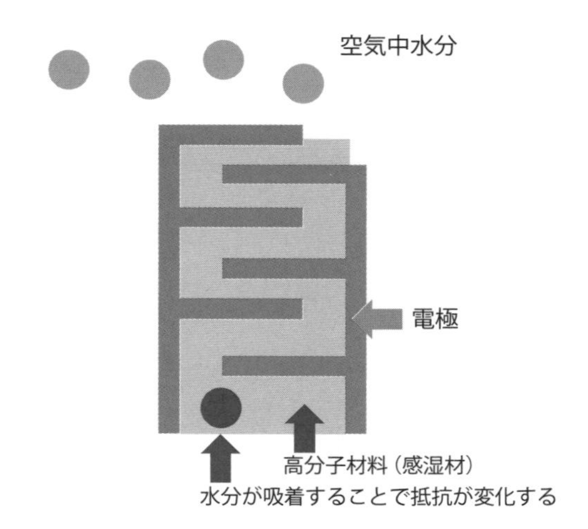

ため、高分子が水分を含まない状態では電気は流れにくく、抵抗値は高い状態になります。高分子が水分を含むと電気が流れるようになり、抵抗値が下がります。抵抗式湿度センサではこの抵抗の変化を測定することで湿度を検知します。

図2に静電容量式湿度センサの概要図を示します。静電容量式湿度センサでは、向かい合わせた電極と電極の間に高分子を挟み込み、コンデンサを形成します。片方の電極には水分を透過する電極を用います。電極に挟まれた高分子が水分を含むと静電容量が変化します。この静電容量の変化を測定することで湿度を検知します。

図2　静電容量式湿度センサ

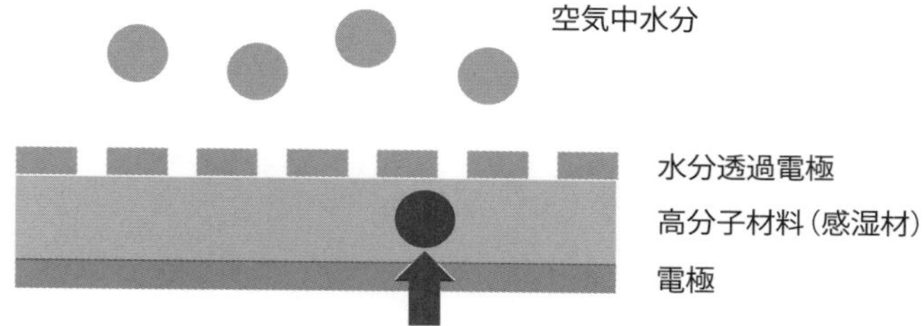

図3に湿度センサの例を示します。抵抗式湿度センサは比較的安価で耐久性に優れるといった利点があります。一方、静電容量式湿度センサは低湿度でも計測でき、応答速度が速いなどの利点があります。湿度センサというセンサの性質上、温度センサと一体になった温湿度センサという形で販売されているものも多くあります。図4に温湿度センサの例を示します。

図3　湿度センサ

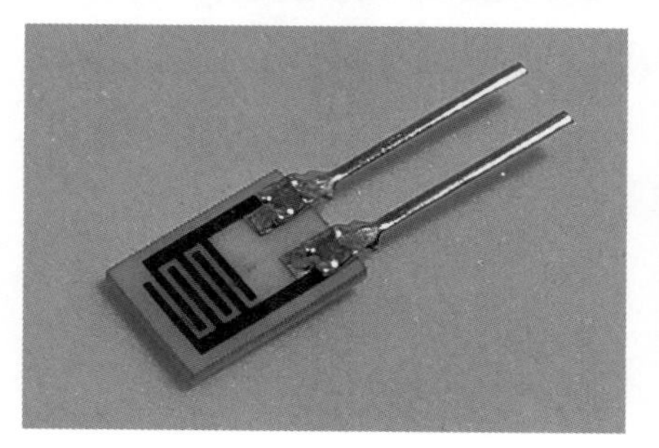

図4　温湿度センサ

3-7

静電容量型加速度センサ

価格帯：数千円程度

利用用途：自動車の車体制御など

入力と出力：<入力>加速度、<出力>静電容量変化

加速度による歪みを静電容量変化により検知する加速度センサ

加速度センサは物体の加速度を測定するためのセンサです。加速度とは単位時間あたりの速度の時間変化であり、物体に対して力が加わったときに生じます。加速度センサはその計測原理によって機械変位測定式、振動測定式、光学式などいくつかの実装方法があります。ここでは半導体によって実装が可能なため小型化が容易な静電容量型加速度センサについて取り上げます。

図1に静電容量型加速度センサの概略図を示します。静電容量型加速度センサは固定された電極と物体に付着した可動電極からなります。物体は力を受けない限り、そのままの運動状態を続けようとします。これを慣性といいます。

図1　静電容量型加速度センサの原理

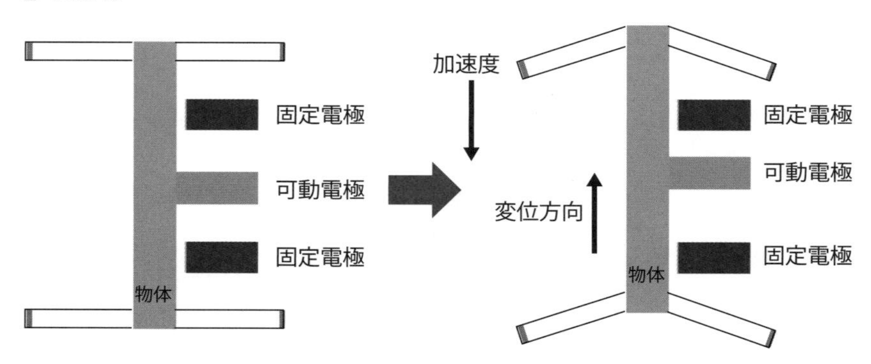

電車が急に動き出すと体が置いてかれるような感覚がおきますが、これも止まっていた体がその場所にそのままとどまろうとする慣性の性質によるものです。静電容量型加速度センサはこの原理を利用したもので、加速度によって生じる静電容量の変化を計測することで生じた加速度を測定します。図1のような加速度を受けると物体が取り残され、図のように変位します。結果として物体についた可動電極が移動し、固定電極との位置関係が変化します。コンデンサの静電容量は電極間の距離によって決まるため、可動電極が移動し、固定電極との位置関係が変化すると静電容量が変化します。この静電容量の変化を計測することで加速度を計測することができます。

図2に静電容量型加速度センサの例を示します。静電容量型加速度センサは比較的低い加速度の計測に向いており、車体制御などの用途に用いられます。

図2 静電容量型加速度センサ

3-8

圧電式加速度センサ

価格帯：数百円から数万円程度

利用用途：自動車の衝撃検知など

入力と出力：＜入力＞加速度、＜出力＞起電力

加速度により生じる力を圧電効果により検知する加速度センサ

圧電式加速度センサは静電容量型加速度センサと同じく半導体方式の加速度センサで、圧電効果と呼ばれる物理現象を利用した加速度センサです。圧電効果とは物質に圧力を加えると、その圧力に応じて電荷が分極し、起電力が生じる現象をいいます。圧電効果を示す物質を圧電素子、あるいはピエゾ素子といいます。

圧電式加速度センサには圧縮型とシェア型という２つのタイプがあります。圧縮型の圧電式加速度センサは図１のように圧電素子の上におもりを載せた構造になっています。この図のように圧縮型の圧電式加速度センサに加速度が加わるとおもりの慣性のために圧電素子に力が加わり、起電力が発生します。この起電力を測定することで加速度の検知が可能です。

図１ 圧縮型圧電式加速度センサ

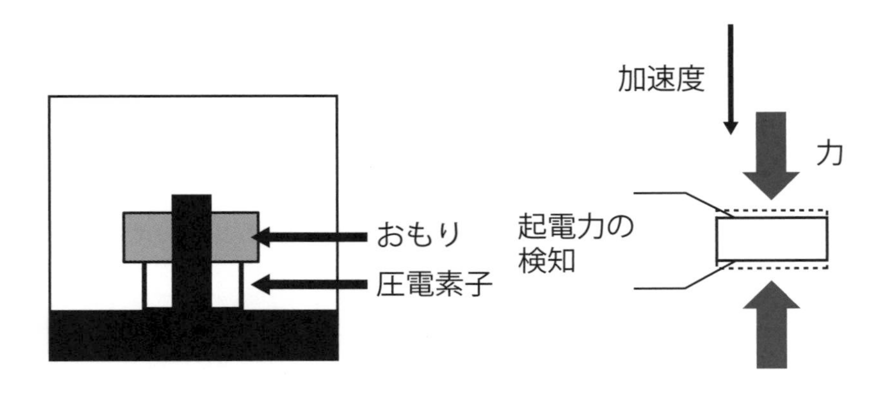

一方、シェア型の圧電式加速度センサは圧電素子の横におもりを付けた構造になっています。図2のようにシェア型の圧電式加速度センサに加速度が加わると圧電素子にひずみが生じ、起電力が発生します。シェア型においても、この起電力を測定することで加速度の検知が可能です。

圧縮型は剛性が高いため、高周波数の加速度計測に向いています。シェア型は対応できる周波数レンジが広く、歪みや温度変化の影響が少ないという特徴から広く使われています。圧電式加速度センサは強い加速度の計測が可能であることから、エアバックのための自動車の衝突検知などに利用されています。

図2　シェア型圧電式加速度センサ

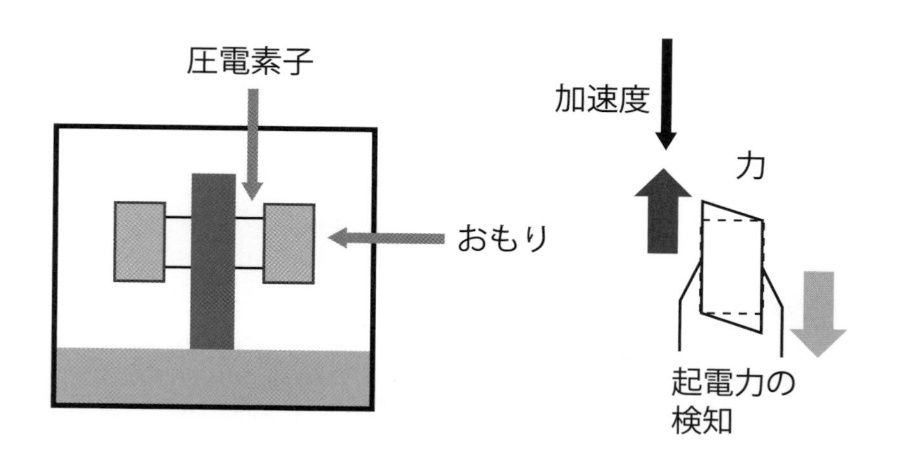

図3　圧電式加速度センサ

3-9
音圧センサ（コンデンサマイクロホン）

価格帯：数百円から数万円程度

利用用途：携帯機器での利用、スタジオでの録音など

入力と出力：<入力>音、<出力>静電容量変化

▶▶ 音の振動を静電容量変化により検知する電源が必須なマイクロホン

コンデンサマイクロホンは、コンデンサを利用した音圧センサです。コンデンサとは電荷を蓄えることのできる電子部品でキャパシタとも呼ばれます。

コンデンサマイクロホンは図1に示すように固定された電極とダイヤフラムと呼ばれる振動板からなります。ダイヤフラムは導電性の振動板となっており、固定電極と向かい合わせることでコンデンサを形成します。コンデンサは電圧をかけると電荷を貯められる性質があり、貯められる電気の量は電極間の距離に応じて変化します。音は空気の振動であるため、音が発生すると空気がそれに応じて振動し、その空気の振動がダイヤフラムを振動させます（図2）。ダイヤフラムが空気の振動にあわせて動くと振動に応じて電極間の距離が変化するため、コンデンサの静電容量が

図1　コンデンサマイクロホンの構造

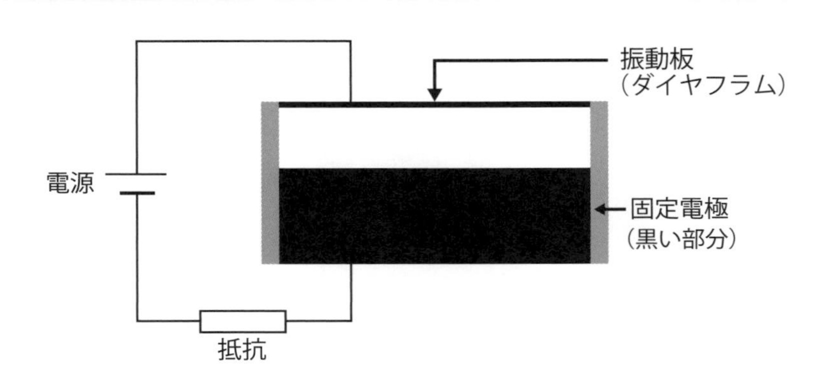

変化します。この静電容量の変化を電圧として検知できるような回路を作ることで音を電気信号として検出しています。

図３にコンデンサマイクロホンの例を示します。コンデンサマイクロホンは感度が高く、スタジオでの録音など高音質な音を収音するときに用いられます。また、小型化が容易なため、携帯機器などのマイクロホンとしても利用されます。コンデンサマイクロホンを利用する際にはコンデンサに電圧をかけ続ける必要があります。そのため、コンデンサマイクは原理的に必ず電源が必要になるマイクロホンになります。

図2　コンデンサマイクロホンの動作

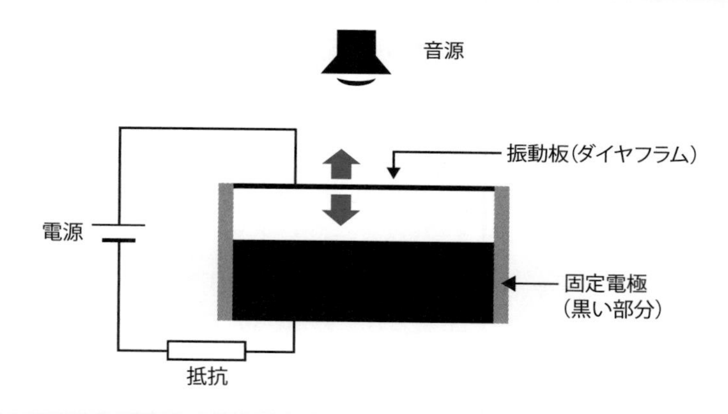

図3　コンデンサマイクロホン

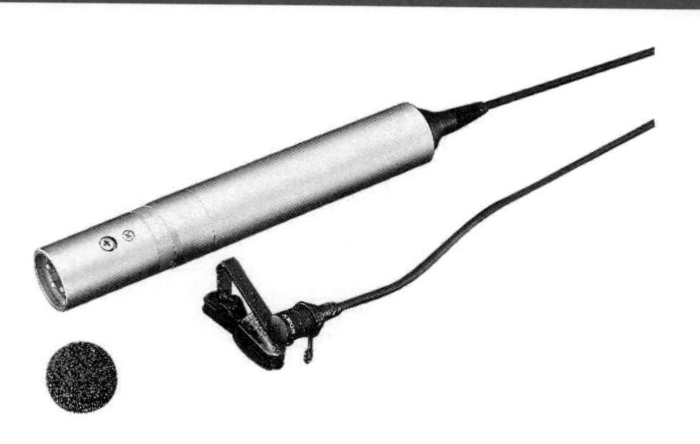

3-10

音圧センサ（ダイナミックマイクロホン）

価格帯：ムービングコイル式：数千円から数万円程度

　　　　リボン式；数万円から数十万円程度

利用用途：ムービングコイル式：公共演説での収音

　　　　　リボン式：デジタルレコーディング利用など

入力と出力：<入力>音、<出力>起電力

音の振動を電磁誘導により検知する電源のいらないマイクロホン

　ダイナミックマイクロホンは電磁誘導と呼ばれる物理現象を利用したマイクロホンです。電磁誘導とはコイルをつらぬく磁束の変化に対してコイルに起電力が発生する現象をいいます。ダイナミックマイクロホンには、ムービングコイル式とリボン式があります。

　ムービングコイル式は振動板がついたコイルを貫くように永久磁石を設置した図1のような形状をしています。音は空気の振動であるため、音が発生すると空気がそれに応じて振動し、その空気の振動が振動板についたコイルを振動させます（図

図1　ムービングコイル式マイクロホンの構造

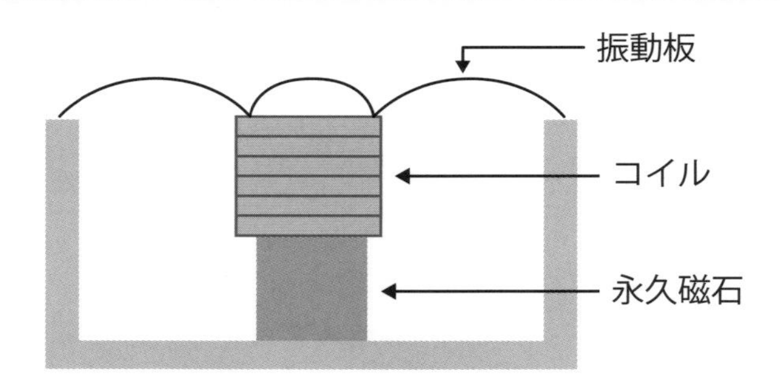

図2　ムービングコイル式マイクロホンの動作

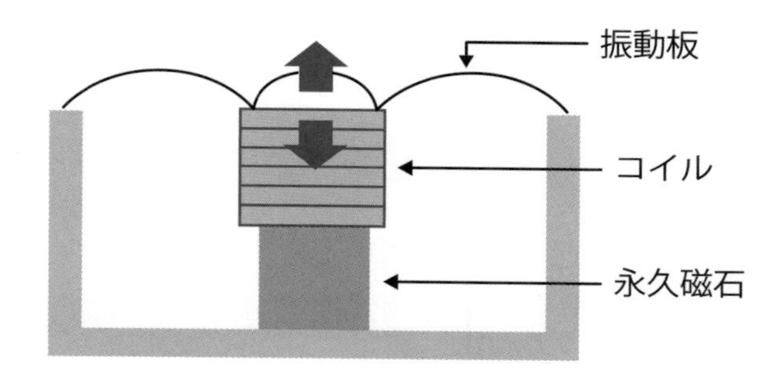

2)。この振動によって磁石とコイルの相対的な位置が変化し、それによって生じるコイルを貫く磁束の変化によってコイルに起電力が発生します。振動部分であるコイル部分の質量が比較的大きいため、高周波数成分への応答がやや鈍いという特性がありますが、丈夫で大音量にもゆがみにくいという特徴があります。

リボン式はムービングコイル式と同じく、永久磁石を利用しますが、振動板部分に薄いリボンを用いたマイクロホンです。リボン式は蛇腹状の金属箔であるリボンを中心におき、永久磁石でそれを挟み込んだ図3のような形状をしています。ヨークと呼ばれる磁路を設置することでリボン周辺に磁場を設定します。音が発生すると設置されたリボンが磁場の中で振動し、起電力が発生します。

振動を担うリボンはコイルに比べて薄く軽いため、高周波数の音にも応答の早いマイクロホンですが、ムービングコイルと比べ衝撃に弱く繊細なため、スタジオでの収音などで利用されます。図4、図5にムービングコイル式マイクロホンとリボン式マイクロホンの例を示します。ダイナミックマイクロホンは電磁誘導を利用することで音圧の測定が可能であるため、コンデンサマイクロホンと異なり、電源が不要なマイクロホンです。

図3 リボン式マイクロホンの構造

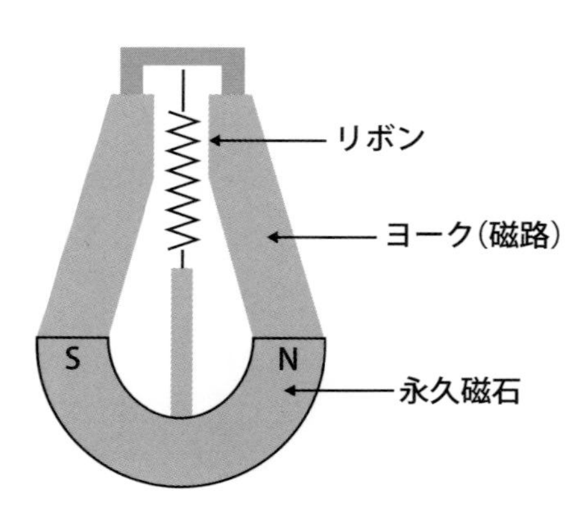

図4 ムービングコイル式マイクロホン

製品名：DM-1300
提 供：TOA

図5 リボン式マイクロホン

製品名：AT4080
出 展：オーディオテクニカ

3-11 振動式ジャイロスコープ（角速度センサ）

価格帯：数百円から数千円程度

利用用途：手振れ補正、ゲームコントローラ、車体制御など

入力と出力：＜入力＞角速度、＜出力＞ねじれの力

角速度により生じるコリオリの力を利用した角速度センサ

ジャイロスコープとは角速度を測定するために用いられるセンサです。ジャイロセンサとも呼ばれます。角速度とは単位時間当たりにどれくらい回転するかを示します。ジャイロスコープはその計測原理により機械式、流体式、光学式などがありますが、ここでは特に機械式の中でも小型化に適した振動式ジャイロスコープと呼ばれるジャイロセンサについて説明します。

振動式ジャイロスコープはコリオリの力と呼ばれる物理現象を用いたセンサです。コリオリの力とは回転している座標系上で物体が移動すると移動方向に対して垂直に力を受けたように見える見かけ上の力で転向力とも呼ばれます。台風が北半球で反時計回りの渦を巻くのもコリオリの力が原因です。

図１　振動式ジャイロスコープの構造

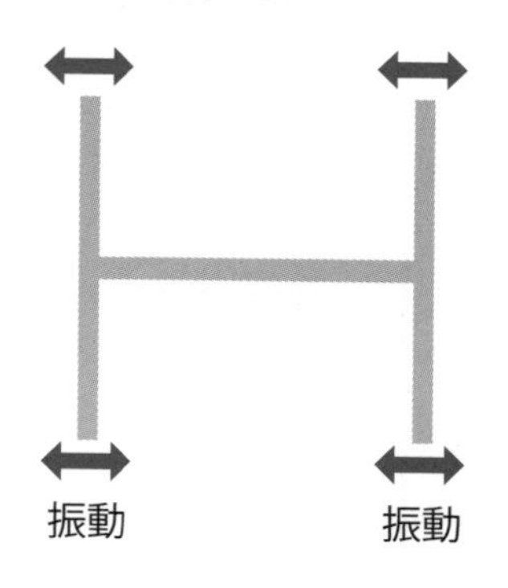

振動式ジャイロスコープでは図1のように板を一定方向に振動させます。この状態で図2左のようにジャイロスコープが回転すると図2右のように振動に対してねじれるようなコリオリの力が働きます。このねじれを電位差などの形で検知することで角速度を検知できます。

ジャイロスコープは測定物の回転を検知できるため、手振れ補正やゲームコントローラなどさまざまな用途に用いられます。振動型ジャイロスコープは小型化が容易で図3のような集積回路として安価に販売されています。

図2　振動式ジャイロスコープの動作

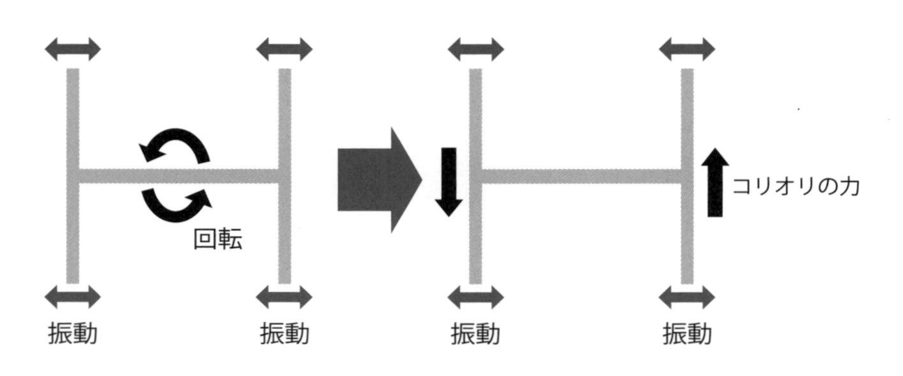

図3　振動式ジャイロスコープ

3-12

速度センサ（ドップラー式）

価格帯：数百円から数十万円程度

利用用途：建物の振動計測、生産ラインの監視など

入力と出力：<入力>速度変化、<出力>波の周波数

光や電磁波のドップラー効果を利用した速度センサ

ドップラー式速度センサは光やマイクロ波のドップラー効果を利用することで速度を測定するセンサです。ドップラー効果とは電磁波や音波などの波に対して起こる現象で、波の発生源と観測者の相対的な速度によって波の周波数が実際とは異なって観測される現象をいい、ドップラーシフトとも呼ばれます。

ドップラー式速度センサの波源にはレーザー光や超音波、マイクロ波などが用いられます。センサの構成は波源の種類によらずよく似ており、図1のようにレーザー光や超音波を発生する波源とその波を検知するセンサからなります。利用の際には、波源から対象物体に対して波を発生させ、その反射波をセンサにより検知します。

図1　ドップラー式速度センサの構成と動作

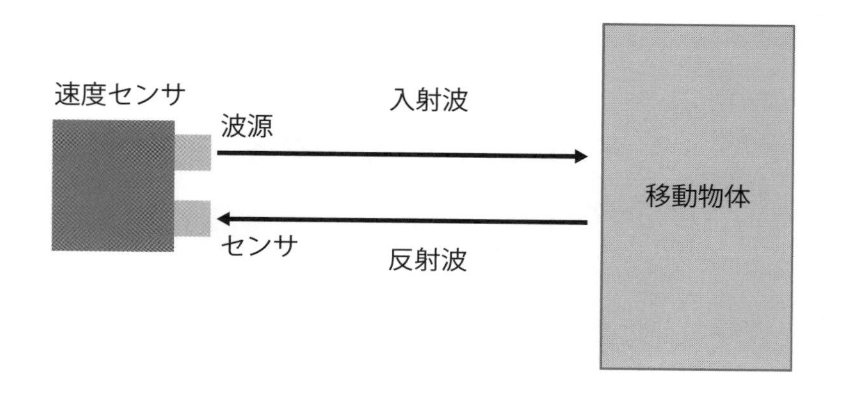

対象物が速度センサに対して動いていると図2のようにドップラー効果によって観測される波の周波数が変化します。ドップラー効果による周波数の変化は対象物の速度によって決まるため、観測された周波数から逆算することで速度を求めることができます。

ドップラー式速度センサは対象物に光やマイクロ波を照射する必要があるため、対象物と離れた場所に置きます。このセンサは速度を非接触で測定することができるため、建物の振動計測や生産ラインに利用されます。また、液体や気体の流速などの計測も可能です。図3にドップラー式速度センサの例を示します。

図2　ドップラー式速度センサの動作

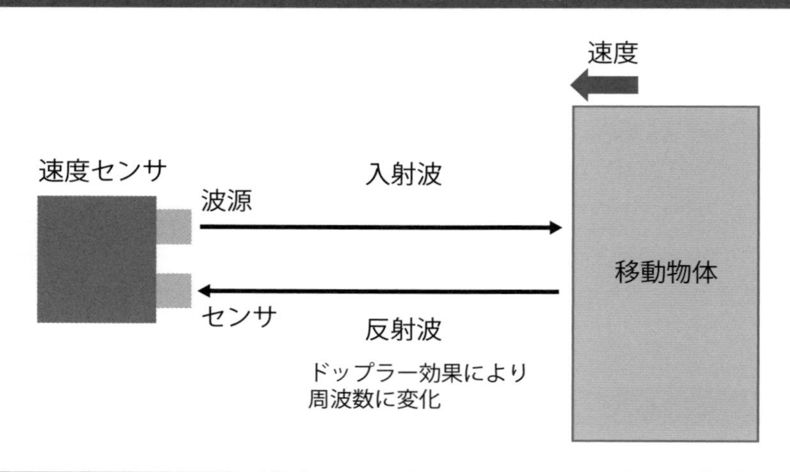

図3　ドップラー式速度センサ

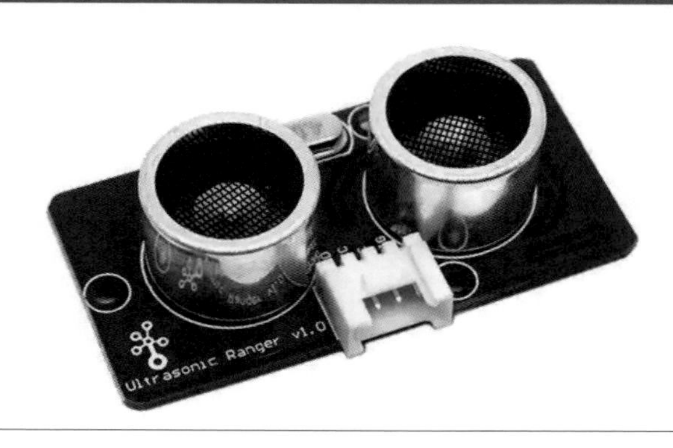

3-13

距離センサ（超音波）

価格帯：数百円から数千円程度

利用用途：液面距離計測など

入力と出力：<入力>物体との距離、<出力>超音波の遅延時間

超音波の反射時間を利用して距離を測定する距離センサ

距離センサはセンサと対象物の間の距離を測定するためのセンサです。距離センサの構成はドップラー式の速度センサとよく似ています。距離センサは大きく分けて超音波を用いた超音波式距離センサとレーザー光を用いる光学式距離センサに分かれます。ここではこのうち、超音波を用いた距離センサについて記述します。

超音波とは人間には聞こえない周波数成分を持つ音波です。人間の可聴周波数は20Hz〜20000Hz程度といわれており、超音波センサは20000Hzよりも高い周波数を用いて距離を計測しています。超音波を用いた距離センサは図1のような構成となっており、超音波を発生する波源とその波を検知するセンサからなります。利用の際には、波源から対象物体に対して波を発生させ、その反射波をセンサにより検知します。

図1　超音波距離センサの構成

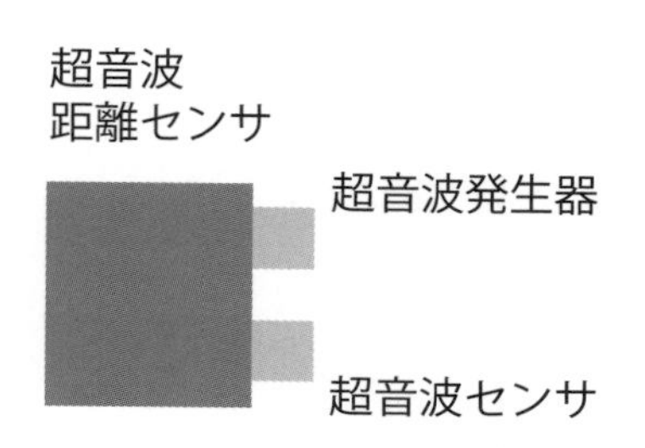

超音波センサではTime of Flight（TOF）と呼ばれる技術により、対象物との距離を測定します。TOFは飛行時間という意味で図2のようにパルス波が対象物体にあたって反射してくるまでにかかる時間を計測し、そこから距離を求めます。図3に超音波距離センサの例を示します。図3に示すように超音波距離センサの構成は速度センサの構成とよく似ており、送信部と受信部から構成されます。速度センサと距離センサは構成が似ていることから距離と速度両方を測定可能なセンサも販売されています。

図2 TOF方式の原理

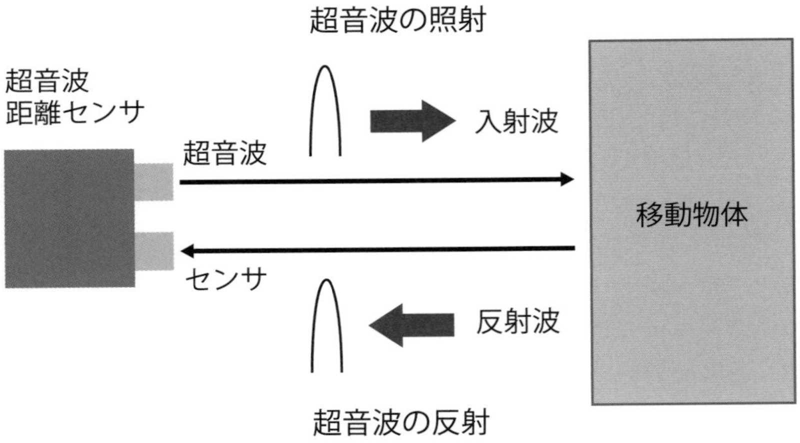

超音波センサの長所としては
・対象物が動いていても測定が可能であること
・対象物の色によらず計測が可能であること
・広い範囲の対象物の距離測定が可能であること
などが挙げられます。

一方、超音波センサの短所としては
・光学式距離センサに比べ、精度が粗いこと
・光学式距離センサに比べ、反応が遅いこと
などが挙げられます。

上記のような特徴から光が反射しやすい金属や液体などの計測でよく用いられます。

図3　超音波距離センサ

3-14

距離センサ（光学式）

価格帯：数百円から数万円程度

利用用途：歪み測定、段差判別、厚み判定など

入力と出力：<入力>物体との距離、<出力>光の遅延時間、入射角のずれなど

光の反射を利用して距離を測定する距離センサ

光学式距離センサは超音波距離センサで用いている超音波の代わりに光を利用して距離を計測する距離センサです。超音波を光に変更すること以外、構成はよく似ています。

光学式距離センサで用いられる光にはレーザー光やLEDなどが挙げられます。光学式距離センサの実装方法は複数あり、超音波センサでも用いられるTOFタイプの距離センサに加え、三角測量の原理を応用し、対象物体の位置の変化にともなう反射光の入射角の変化を利用した測定法などが知られます。

光学式の距離センサは図1のような構成となっており、光を発生する光源とその

図1　光学式距離センサの構成

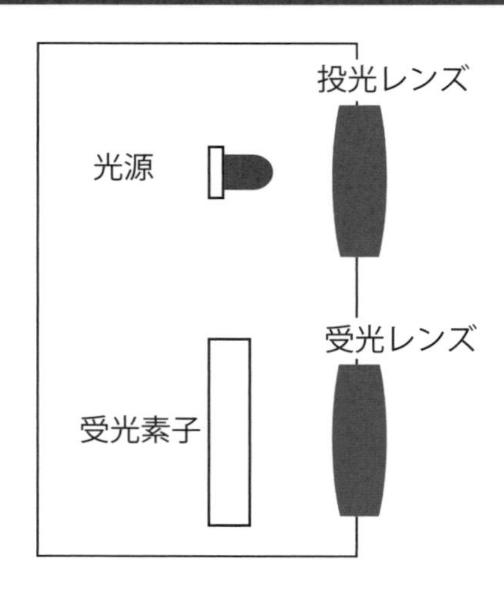

波を検知する受光素子からなります。利用の際には、波源から対象物体に対して波を発生させ、その反射波をセンサにより検知します。

三角測量の原理を応用した方法では、図2に示すように光源から発生した光はレンズを通して集光され、物体に照射されます。物体からの反射光は物体の位置に応じて変化します。物体が近くにある場合、受光素子には図2のようにより斜めに光が入ります。一方、物体が遠くにある場合、受光素子にはより直線的に光が入ります。この光の受信位置の違いを利用することで物体の位置を測定することができます。なお、受光素子には、光の受信位置の違いを検知できるよう、位置受光素子（PSD: Position Sensitive Device）やCMOS、CCDなどの受光素子を配置します。図3に光学式距離センサの例を示します。

図2　光学式距離センサの動作

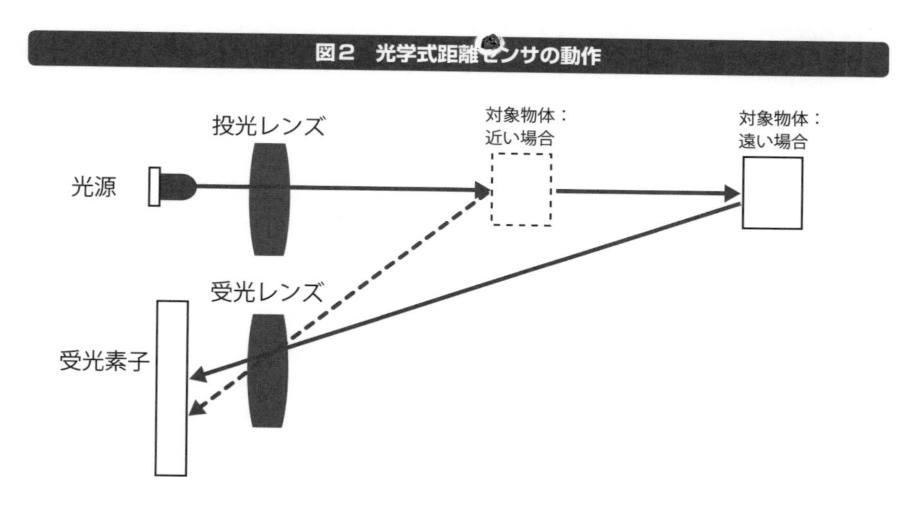

図3　光学式距離センサ

3-15 ひずみゲージ（金属ひずみゲージ）

価格帯：数百円から数千円程度

利用用途：歪み測定、応力測定など

入力と出力：<入力>物体のひずみ、<出力>抵抗値の変化

抵抗の変化で物体のひずみを検知するセンサ

ひずみゲージとは物体のひずみを測定するためのセンサです。物体のひずみは物体に働く力によって生じることから重さの測定やかかる力の測定などの用途でも利用されます。ひずみゲージは大きく金属ひずみゲージと半導体ひずみゲージの２種類に分けられます。ここでは一般によく利用されている金属ひずみゲージについて説明します。

金属ひずみゲージは、ひずみにともなう金属抵抗の変化を利用したセンサです。図１のように金属に対して引っ張り力が働くとそれにともなって金属は伸び、ひずみが生じます。金属が延ばされるとそれに比例する形で金属抵抗が増えるため、この抵抗の変化を検知することで物体のひずみを検知します。

図１　引っ張り力と金属の伸び

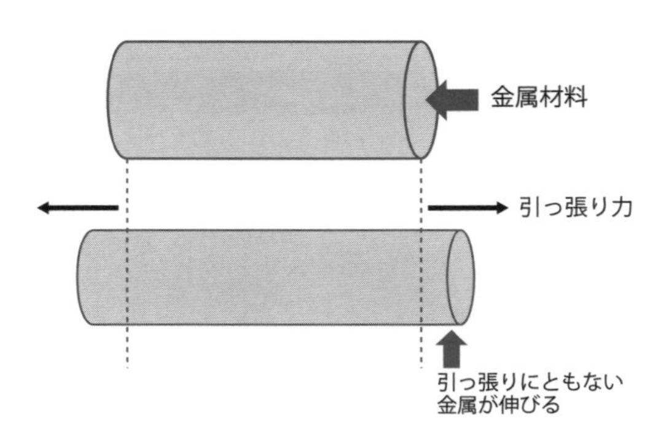

一般に金属抵抗は金属の断面積が小さく、長さが長いほど大きくなります。これはトンネルを車が通り抜けるとき、トンネルの間口が狭く、トンネルが長いほど車の通り抜けが難しくなることに似ています（図2）。

図2　金属抵抗とトンネル

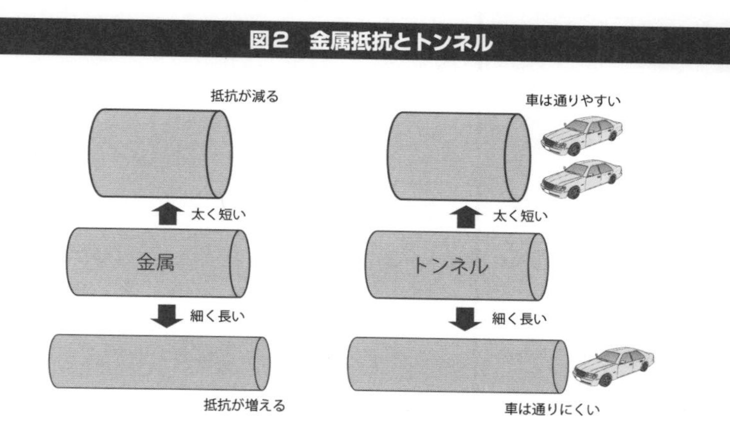

金属ひずみゲージは図３のように絶縁体上に金属箔がジグザグに配置されたような構造をしています。ひずみゲージが取り付けられた物体がひずむとそれに伴ってひずみゲージにもひずみが生じ、結果として金属箔の抵抗が変化します。図４にひずみゲージの例を示します。ひずみゲージで生じる抵抗変化は微小であるため、ホイートストンブリッジと呼ばれる回路を用いてその抵抗変化を電圧の変化として検知します。

図3　ひずみゲージの構造　　図4　ひずみゲージ

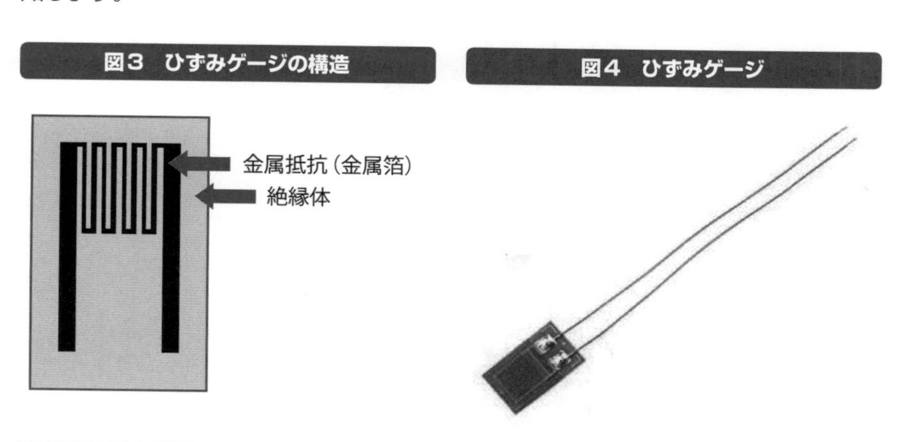

3-16

圧力センサ

価格帯：数百円から数千円程度

利用用途：力測定、気圧測定、液圧測定など

入力と出力：＜入力＞圧力、＜出力＞抵抗値の変化

ひずみを圧力に変換することで圧力を測定するセンサ

圧力センサとは物体にかかる圧力を測定するためのセンサです。静電容量式圧力センサ、圧電式圧力センサ、光を利用した圧力センサ、ゲージ式圧力センサなどいくつかの実装方法があります。ここではひずみゲージを用いた圧力センサの構造について説明します。

図1、図2に金属ひずみゲージ、半導体ひずみゲージを用いた圧力センサの例を示します。この図で示すように圧力を検知するセンサの違いはありますが、基本的な構造はよく似ています。ダイヤフラムとは外部からの圧力に応じて変位を生じる膜のことをいい、圧力が加わるとこのダイヤフラムが変形します。

図1　金属ひずみゲージ式圧力センサの構造と動作

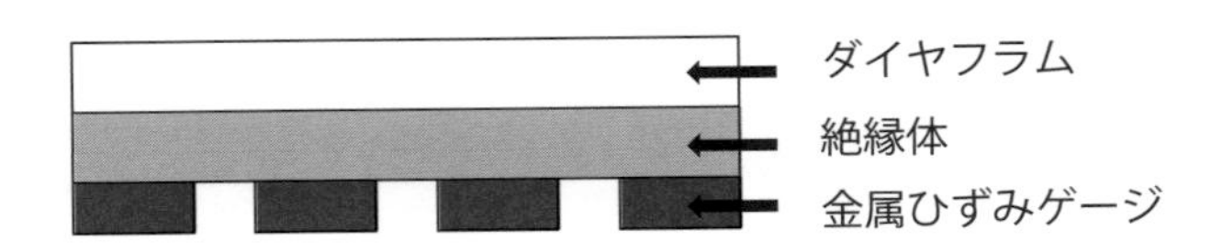

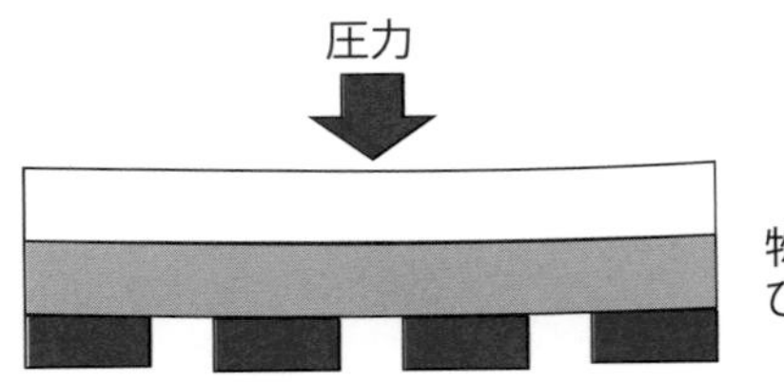

物体のひずみを
ひずみゲージで検知

図2 半導体ひずみゲージ式圧力センサの構造と動作

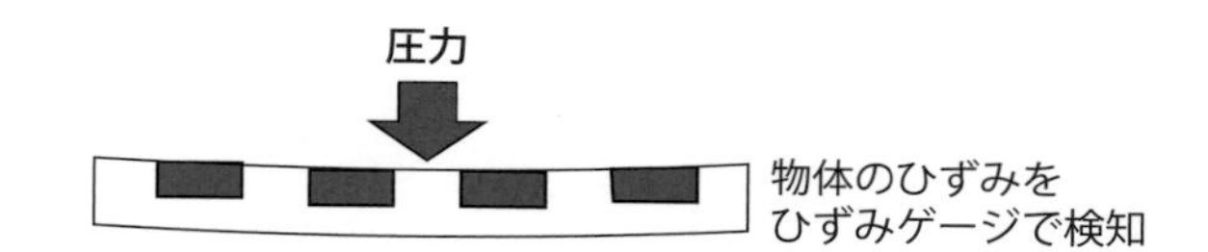

図1、図2のように、この変形をダイヤフラムに設置したひずみゲージによって検知し、圧力に換算することでセンサにかかる圧力を測定します。金属ひずみゲージを用いた圧力センサに絶縁体が用いられているのは、金属ひずみゲージが電気的につながらないようにするためです。図3に圧力センサの例を示します。

図3 圧力センサ

3-17
力覚センサ

価格帯：数万円から数十万円程度

利用用途：精密嵌合、部品組付け作業、研磨など

入力と出力：<入力>力、モーメント、<出力>静電容量の変化

力やトルクによる歪みを静電容量の変化として検知する力覚センサ

力覚センサはセンサにかかる力やモーメントを測定できるようなセンサです。モーメントとは物体に対して回転するようにかかる力のことであり、ねじりの強さを示します。

力覚センサには、検知することのできる力、モーメントの数に応じ、1軸力覚センサ、3軸力覚センサ、6軸力覚センサなどがあります。軸とは前後、上下、左右3方向の力と、その軸周りの3方向の回転を意味しており、6軸力覚センサはこれらすべての力と回転を測定することが可能です。産業用ロボットの先端などに取り付けられ、精密嵌合（せいみつかんごう）する際などに用いられます。特に6軸力覚センサは非常に高価で数十万円する製品もあります。

力の検知方法はいろいろありますが、ここでは静電容量型の力覚センサについて説明します。図1に静電容量型の力覚センサの構造を示します。力覚センサは力検

図1　静電容量型力覚センサの構造

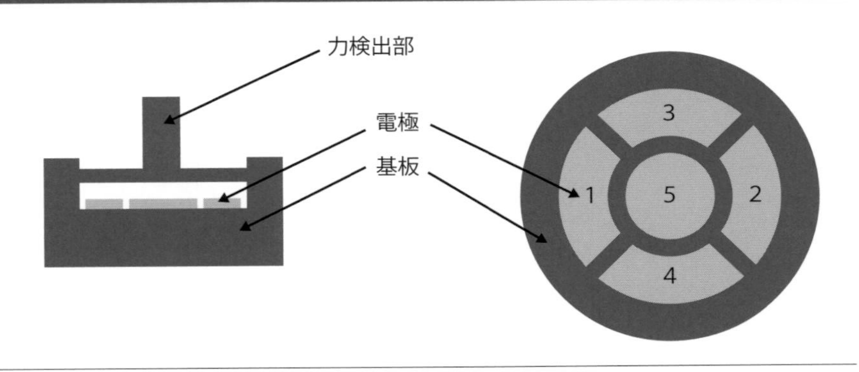

出部、電極、基板からなります。

説明のため、図2のように手前向きにx軸、右向きにy軸、上向きにz軸を設定します。図2のような横向きの力が働いた場合、力覚センサに対しモーメントが作用し、x軸回りのモーメントが生じます。このとき、力覚センサは図2のようにたわみ、y軸上に配置された電極1と力検出部の距離が開く一方、電極2と力検出部の距離が縮みます。結果として、電極1、2の静電容量が左右で変化します。この静電容量の変化をモーメントに換算することでx軸周りのねじれの強さが計測できます。

図2　静電容量型力覚センサの動作（モーメントの検出）

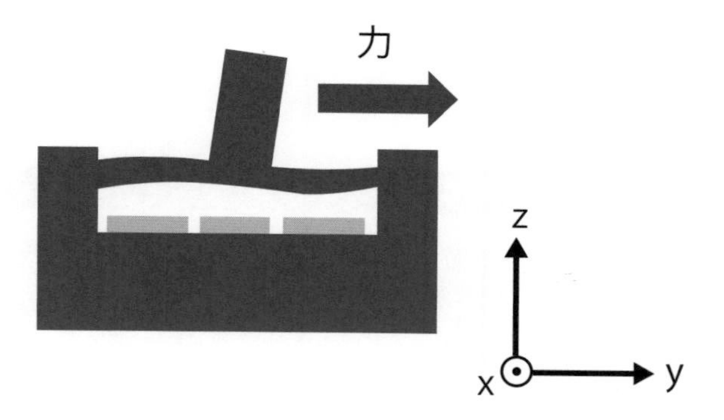

同様に図3のような下向きの力が働いた場合、z軸方向への力が現れます。このとき、力覚センサは図3のようにたわみ、中心に設置された電極5と力検出部との距離が縮み、静電容量が変化します。この静電容量の変化を力に換算することでz軸方向への力を計測できます。図4に6軸力覚センサの例を示します。

図3　静電容量型力覚センサの動作（力の検出）

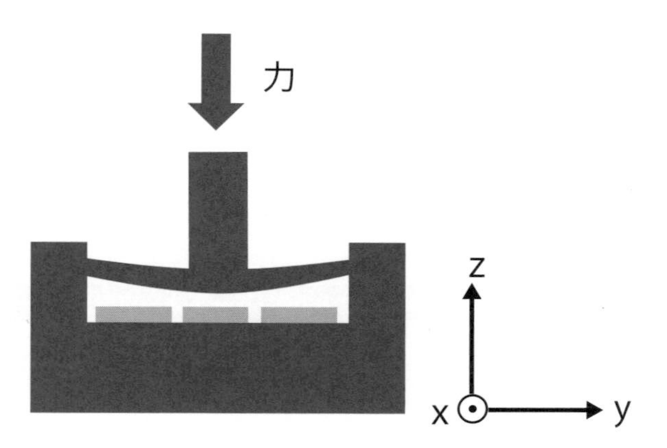

図4　6軸力覚センサ

製品：WEF-6A200-20-RCD-B（静電容量型6軸力覚センサ）
提供：ワコーテック

3-18

磁気センサ（ホールセンサ）

価格帯：数十円から数百円程度

利用用途：モータの位置検出、磁気検出、電流センサなど

入力と出力：<入力>磁気、<出力>起電力

ホール効果を利用して磁気を測定する磁気センサ

ホールセンサはホール効果と呼ばれる物理現象を利用した磁気センサです。

ホール効果とは電流が流れている物体に垂直に磁場をかけると電流と磁場に直交する向きに起電力が発生する現象をいいます。図1のように電流がx軸方向、磁場がz軸方向にかかっているような場合、y軸の正の方向が−に帯電し、負の方向が+に帯電します。この結果発生する電圧を測定することで磁場の向きやその強さを測定することができます。

図1　ホール効果

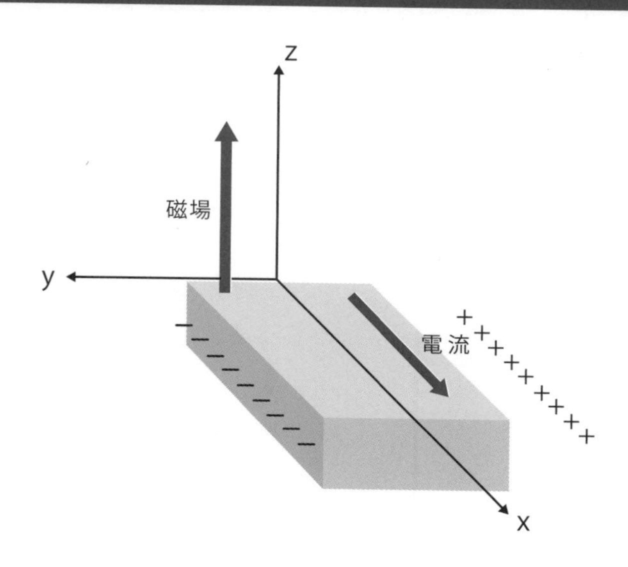

ホール効果によって得られる電圧は非常に小さいため、実際に利用するときにはオペアンプなどの増幅回路が必要になります。そのため、これらが一体になったホールICと呼ばれるセンサが広く普及しています。図2にホールICの例を示します。ホールセンサはInSb（アンチモン化インジウム）やGaAs（ヒ化ガリウム）などの半導体で作られます。

ホールセンサはその反応の仕方で、ラッチタイプ、スイッチタイプ、アナログ出力タイプなどに分類されます。

ラッチタイプは、一度近づいた極が離れても状態が維持されるような磁気センサです。ラッチ（Latch）には留め金という意味があり、電気回路で使われる際には情報がクリアされるまでその状態を保持するという意味を持ちます。

スイッチタイプは、極が近づいたときそれに反応して状態が変わるような磁気センサです。スイッチタイプには単極検出と両極検出の2種類があり、単極検出のセンサはN極、S極のどちらかに反応するのに対し、両極検出のセンサはN極、S極どちらにも反応します。

アナログ出力タイプは極の有無だけでなく、その強さに応じて出力が変わるような磁気センサです。たとえば、N極が近づくと出力される電圧が大きくなり、S極が近づくと出力される電圧が小さくなるといった挙動をします。

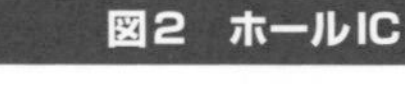
図2　ホールIC

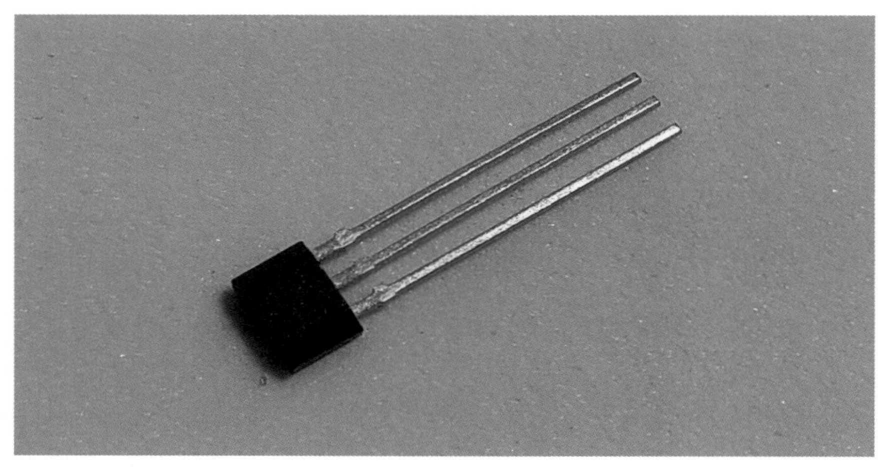

3-19

CO_2 センサ

価格帯：数百円から数千円程度

利用用途：排気ガス測定、空調監視、農業分野など

入力と出力：＜入力＞二酸化炭素、＜出力＞赤外線吸収による光量変化

光の透過率で二酸化炭素の検出を行うセンサ

CO_2 センサ（二酸化炭素センサ）は二酸化炭素を検知するセンサです。光学式、電気化学式、半導体式など二酸化炭素の検知方法に応じていくつかの種類があります。ここでは特によく知られる光学式の CO_2 センサである非分散型赤外線方式の CO_2 センサについて説明します。

非分散型赤外線方式の CO_2 センサは CO_2 が赤外線の特定の周波数の光を吸収することを利用したセンサです。非分散型赤外線吸収は英語でNon-Dispersive Infraredということから、非分散型赤外線方式の CO_2 センサはNDIR式 CO_2 センサとも呼ばれます。

非分散型赤外線方式の CO_2 センサの構造を図1に示します。この図に示すように非分散型赤外線方式の CO_2 センサの構造は比較的単純で赤外線を照射する光源と光学フィルタ、受光素子からなります。2つの受光素子の前方に透過する波長が異

図1　NDIR式 CO_2 センサの構造

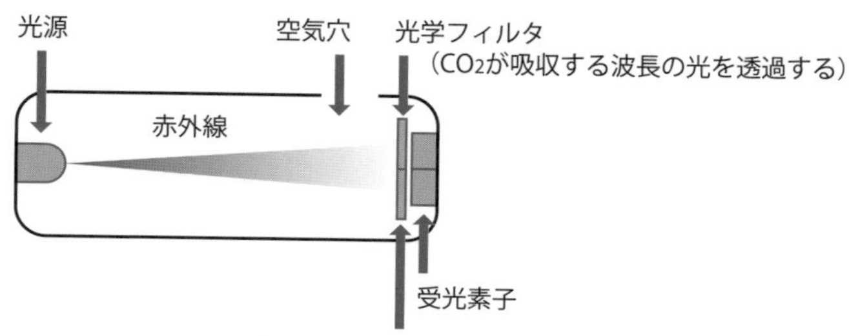

なる光学フィルタを設置し、CO_2による光の透過率の違いを利用することでCO_2濃度を測定します。

片方の受光素子の前には、CO_2が吸収する波長を透過する光学フィルタを設置します。一方、もう片方の受光素子では、参照情報として、CO_2が吸収しない波長に対する光を受光できるようCO_2が吸収しない波長を透過する光学フィルタを設置します。

実際の動作イメージを図2、図3に示します。図2のように空気がCO_2を含まない場合、光は吸収されないため、どちらの受光素子にも同じ光量の光が届きます。一方、空気がCO_2を含む場合、図3のようにCO_2が特定の波長の光を吸収し、結果として受光素子が受光する光の量が変化します。これらの光の透過量を比較することで、ガス濃度を測定します。図4にCO_2センサの例を示します。

非分散型赤外線方式のセンサの用途はCO_2に限りません。特定の波長の光を吸収する気体であれば同じ原理で検知が可能であるため、CO（一酸化炭素）やメタン（CH_4）などの検出への応用事例についても報告されています。

図2　NDIR式CO_2センサの動作（CO_2を含まない場合）

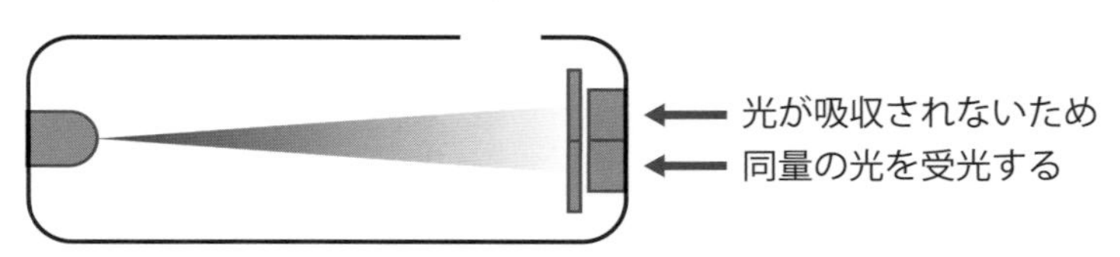

図3　NDIR式CO_2センサの動作（CO_2を含む場合）

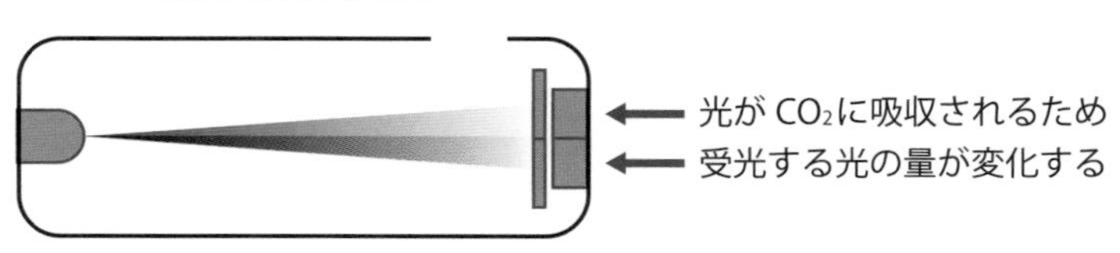

図4　CO_2センサ

3-20

O_2センサ

価格帯：数千円から数十万円程度

利用用途：エンジン燃焼チェック、酸欠防止チェックなど

入力と出力：<入力>酸素、<出力>起電力

吸着により発生する起電力を利用して酸素を検知するセンサ

O_2センサ（酸素センサ）は酸素を検知するセンサです。測定方法としてはジルコニア式、ガルバニ電池式など複数の方法があります。ここでは広く用いられるジルコニア式のO_2センサの原理について説明します。

ジルコニアとはジルコニウムと呼ばれる金属の酸化物です。ジルコニア式O_2センサは焼き固めたジルコニアを用いたセンサで、濃淡電池と呼ばれる電池の仕組みを用いた酸素センサです。図1に示すようにジルコニアの両側に多孔質電極を設置した簡単な構造をしています。

図1　ジルコニア式O_2センサの構造

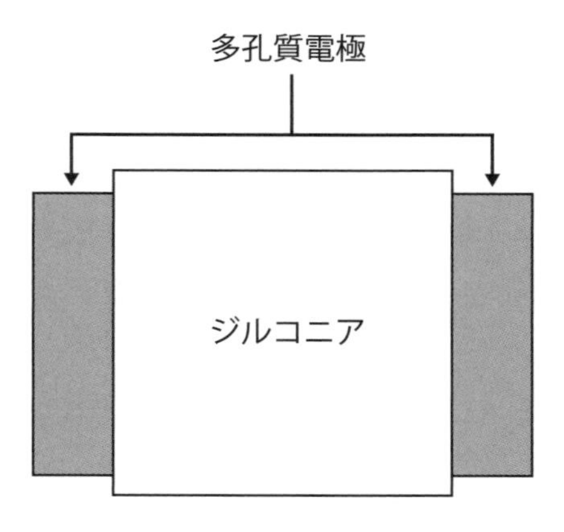

多孔質電極とは空気が通れるような小さな穴が開いた電極をいいます。500度程度の高温に熱せられたジルコニアには電極両側の酸素濃度が異なるとその濃度差に応じた起電力が発生するという性質があり、この性質を利用することで酸素を検出します。

実際の利用イメージを図2に示します。この図に示すようにジルコニア式O_2センサを利用する際には片側を酸素濃度が既知な空間にさらし、もう片方を検知したい空間にさらします。

図2　ジルコニア式O_2センサの利用イメージ

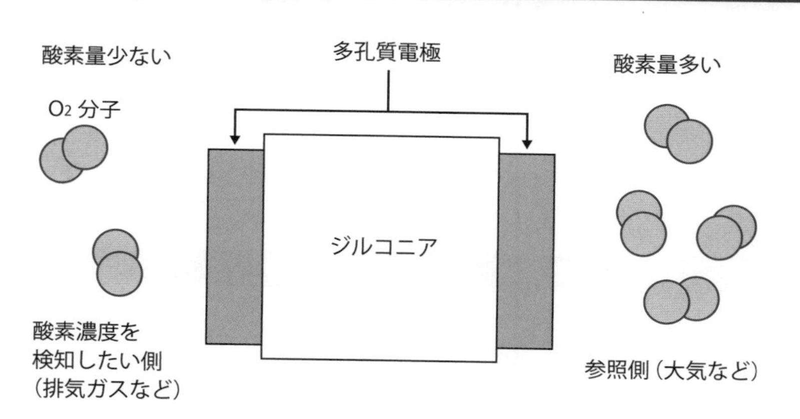

図2の例では片側を大気などに、もう片方を排気ガスなど酸素量が少ない側に配置することを想定しています。このように設定した場合、図3のように酸素濃度の高い側から酸素濃度の低い側に酸素イオンが移動し、結果的にジルコニア式O_2センサに起電力が発生します。ジルコニア式O_2センサではこの発生した起電力を酸素濃度に換算することで酸素濃度を測定しています。図4にジルコニア式O_2センサの例を示します。

図3　ジルコニア式O_2センサの動作

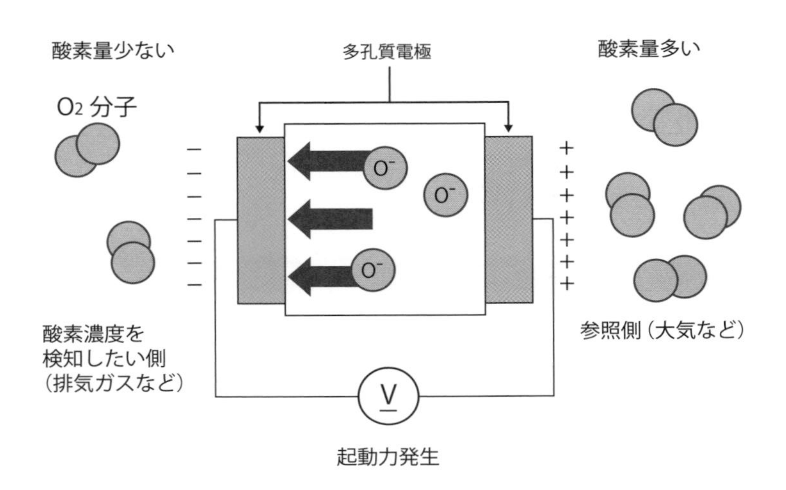

図4　ジルコニア式O_2センサ

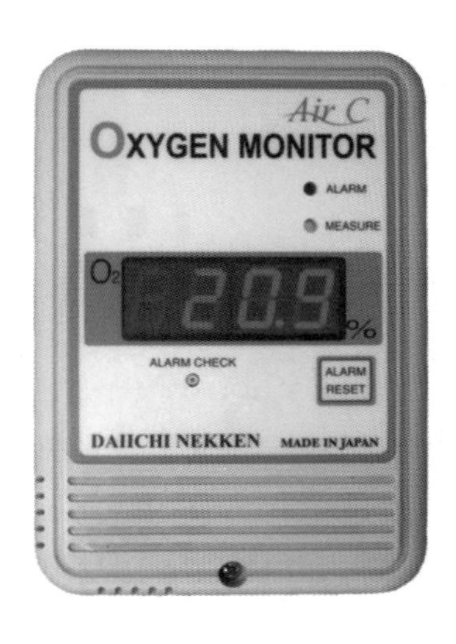

製品名：Air-C
提　供：第一熱研

3-21

土壌水分量センサ

価格帯：数百円から数十万円程度

利用用途：土壌水分量の検査など

入力と出力：<入力>土壌水分量、<出力>誘電率の変化

土と水の誘電率の違いにより水分量を検出するセンサ

土壌水分量センサは土壌の中に含まれる水分量を測定するためのセンサです。土壌水分量という特性から特に農業分野でよく用いられます。

土壌水分量センサは、土の誘電率と水の誘電率の違いを利用して水分量を測定します。誘電率とは2枚の極板からなるコンデンサ内にその物体を詰めたときの物体の誘電分極のしやすさを示す指標で電圧をかけたときに電気的な偏りがどれだけ出やすいかを示します。

土の誘電率は水の誘電率に比べて非常に小さいため、水を含む土の誘電率は水の割合によってほぼ決まります。土壌水分量センサはこのことを利用し、誘電特性を測定することで土壌の水分量を測定しています。

誘電特性の測定には時間領域反射法（TDR：Time Domain Reflectometry）や静電容量式などいくつかの方法があります。時間領域反射法は1970年代に開発さ

図1　時間領域反射法による土壌水分量センサの構造

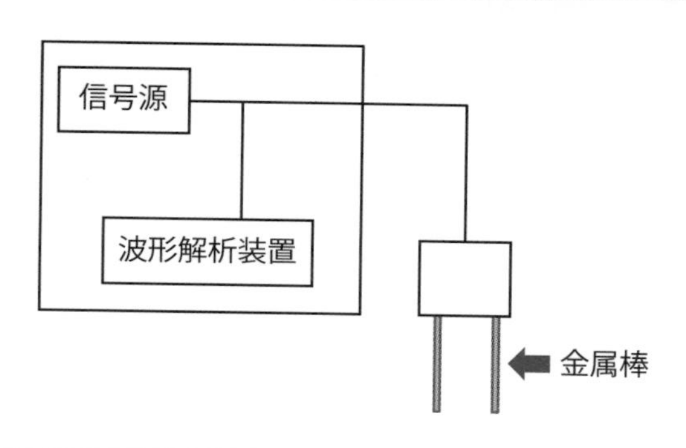

れた比較的古い手法である一方、近年では安価に実装が可能な静電容量式の土壌水分計も普及し始めています。ここでは時間領域反射法による土壌水分量の測定原理について説明します。

図１に時間領域反射法のシステム構成を示します。この図に示すように構造は比較的単純で、ロッドと呼ばれる金属の棒とそれにパルス信号を与えるための信号源、反射波を測定するための波形解析装置からなります。時間領域反射法は、電磁波が誘電率の異なる物質を通過するとき、速度が異なることを利用して誘電率を測定します。一般に誘電率が高い物質ほど、電磁波の速度は遅くなります。

図２に実際の動作イメージを示します。図中左は土壌が水を含まない場合、右は土壌が水を含む場合のイメージ図です。図に示すように土壌が水を含む場合、電磁波の速度が遅くなることから反射波が戻ってくる時間が水を含まない場合に比べて遅れます。

この時間遅れを波形解析装置で観測することで水分量を特定します。図３に土壌水分量センサの例を示します。

図２　時間領域反射法による土壌水分量センサの動作イメージ

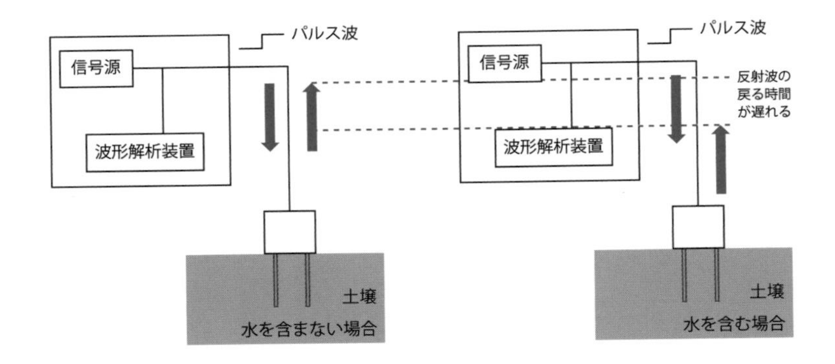

図3　土壌水分量センサ

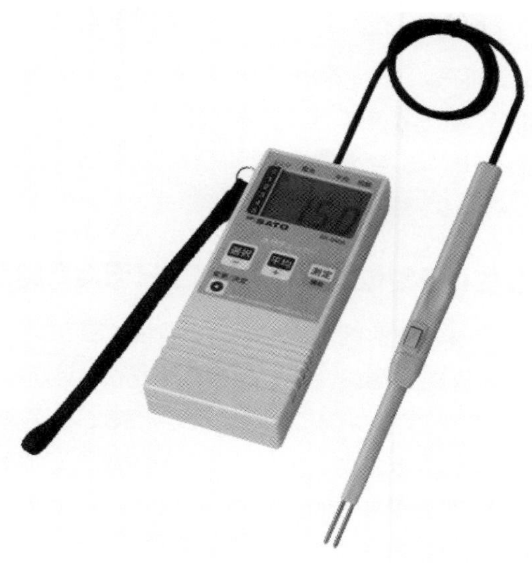

参考Web：https://www.sksato.co.jp/

3-22

pHセンサ（ガラス電極法）

価格帯：数千円から数万円程度

利用用途：工場の製品管理、水質管理、土壌調査など

入力と出力：＜入力＞pH、＜出力＞起電力

pHの違いにより生じる電位差を利用してpH濃度を測定するセンサ

pHセンサは対象の液体が酸性であるか、アルカリ性であるかを測定するためのセンサです。pHは日本語では水素イオン指数といい、その液体が酸性なのかアルカリ性なのかを示す指標です。7を中心に7より小さいと酸性を、7より大きいとアルカリ性を示します。一般的な水溶液のpHは0から14の範囲に収まります。pHは土壌調査や水質管理などで重要な情報になります。ここでは、pH測定によく利用されるガラス電極法と呼ばれる方法について解説します。

図1にガラス電極法によるpHセンサの構造を示します。図に示すようにガラス

図1　ガラス電極法によるpHセンサの構造

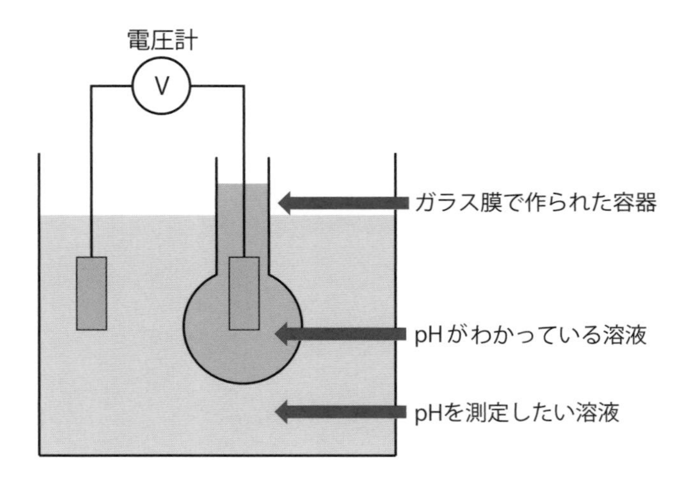

膜で隔てられた2つの容器のそれぞれにpHの異なる溶液を入れます。片方にはあらかじめpHのわかっている溶液を入れ、もう片方にpHを測定したい溶液を入れます。それぞれの溶液に電極を入れ、その間の電位差を電圧計で測定することでpHを測ることが可能です。ガラス電極法は応答が早く、また、広いpH範囲で測定可能であるという利点があります。一方、ガラス膜が薄いため壊れやすいという欠点もあるため、利用には注意が必要です。

図2に実際の利用例を示します。薄いガラス膜を隔ててpHの異なる2種類の溶液を接触させると液のpHの差に比例した電位差が生じます。図2に示すようにガラス膜を隔ててpHの高い溶液と低い溶液があるとします。pHが低い溶液はH^+（水素イオン）を放出しやすい性質があり、そのH^+が、pHの高い溶液側に流れます。pHの差と発生する電位差の関係はネルンストの式と呼ばれる式を用いて算出できるため、発生した電位差を測定することで対象となる溶液のpHが求められます。たとえば、温度25度の条件下でpHが1異なると理論的にはおよそ59mVの電位差が生じることが知られています。ガラス電極法はこの性質を利用してpHの測定を行います。図3にガラス電極法によるpHセンサの例を示します。

図2　ガラス電極法によるpHセンサの動作

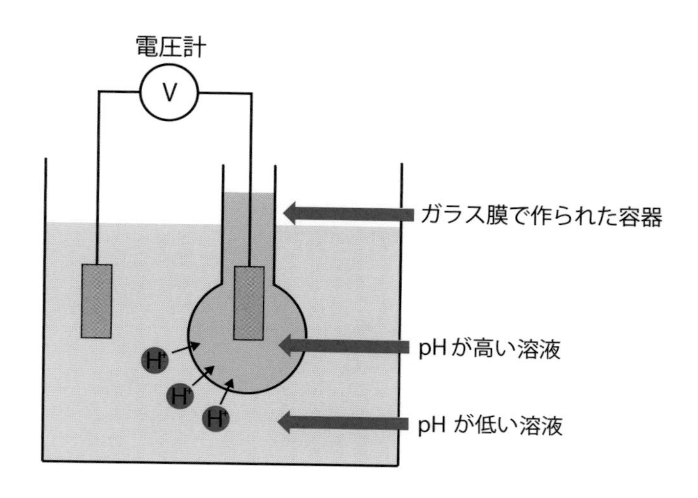

図3　ガラス電極法によるpHセンサ

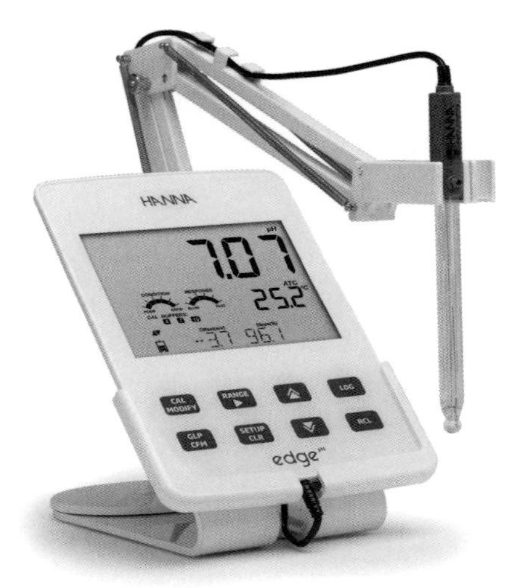

製品：HI2002-01
提供：ハンナ・インスツルメンツ・ジャパン

製品：HI98127
提供：ハンナ・インスツルメンツ・ジャパン

3-23

脈波センサ（光電脈波法）

価格帯：数千円から数万円程度

利用用途：ライフログ、健康管理など

入力と出力：<入力>脈波、<出力>光の強さ

光の透過により脈波を測定するセンサ

脈波とは心臓が血液を送り出すことによって生じる血管の容積変化を波として表現したものをいいます。脈波センサとはこの脈波を検知することのできるセンサをいいます。

脈波をとることで、その人の心拍数情報を取得できます。また、脈波の伝搬速度は血管の硬さと密接な関係があるため、複数の箇所で脈波を計測することで動脈硬化の検知が可能です。脈波をとるための方法には心電図法や光電脈波法、血圧計法や心音図法などがあります。

図1　透過型センサの動作原理

ここではウェアラブルセンサとして利用しやすく、ライフログなどへの応用が容易な光電脈波法を用いた脈波センサの原理について説明します。光電脈波法では血液内にある酸化ヘモグロビンが外部からの光を吸収する性質を利用します。

光電脈波法を用いた脈波の計測には主に透過型と反射型の２種類があります。

図１に透過型センサの動作を示します。透過型のセンサでは図のように赤外線や可視光を血管にあて、脈動に伴う血管の容積変化を透過する光の量によって測定することで脈波を測定します。透過する光を計測するため、指先や耳たぶなど厚みがあまりなく、光が透過しやすい部位でのみ利用が可能です。

図２に反射型センサの動作を示します。反射型のセンサでは赤外線や可視光を血管にあて、その反射光を測定することで脈波を測定します。

図２　反射型センサの動作原理

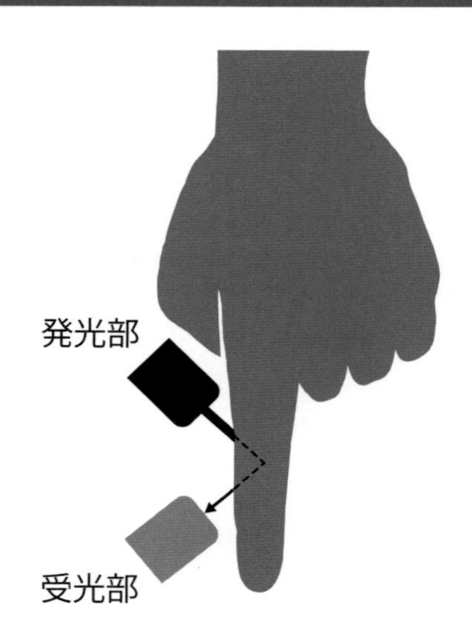

図3に反射型センサの動作をより細かくあらわした図を示します。この図に示すように血管を通る脈波に応じて血管が膨張収縮し、その結果生じる反射光の強さの変化によって脈波の計測が可能です。反射型センサでは反射光を計測するため、指先や耳たぶに限らず、厚みのある部位でも測定が可能です。図4に光電脈波法による脈波センサの例を示します。

図3　反射型センサの詳細

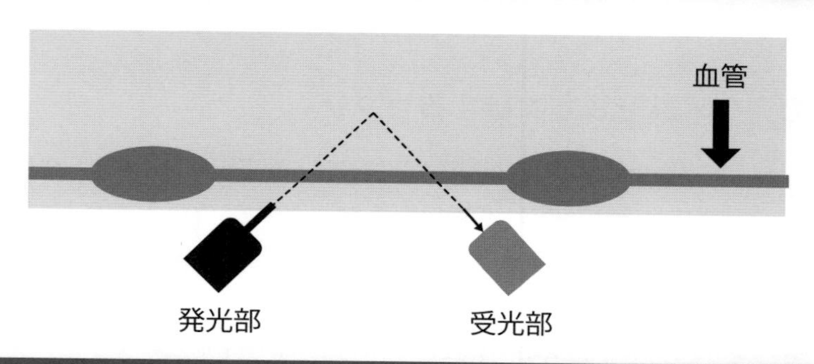

図4　光電脈波法による脈波センサ

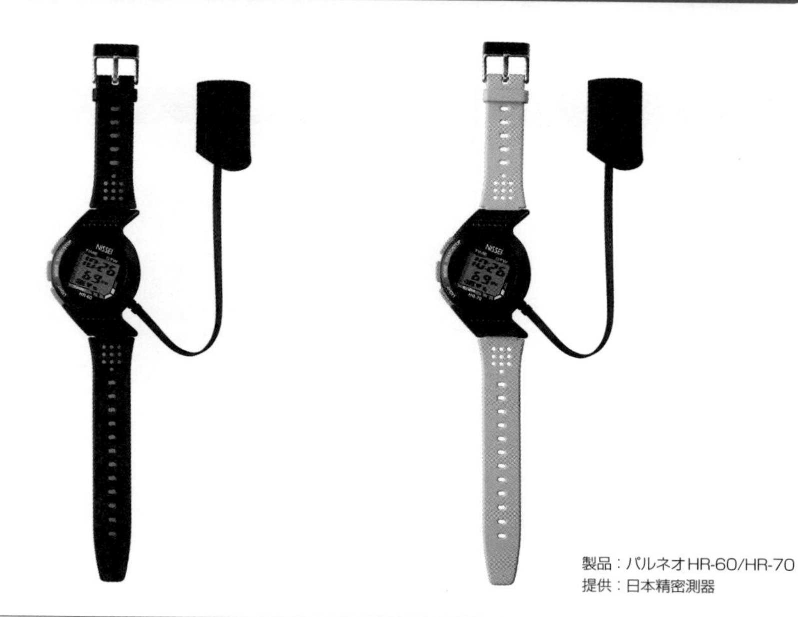

製品：パルネオHR-60/HR-70
提供：日本精密測器

3-24

カメラ

価格帯：数千円程度（Webカメラの場合）
　　　　数万円から数十万円程度（デジタルカメラの場合）
利用用途：ライフログ、監視システムなど
入力と出力：<入力>光、<出力>画像データ

外部の光を写真形式で保存するセンサ

カメラは広く用いられる光検知用のセンサです。ここまでに説明してきたセンサに比べより高度なセンサであり、監視システムなどのセキュリティ用途からさまざまな場所で利用されています。ここでは古典的なカメラであるフィルムカメラとデジタルカメラの仕組みについて説明します。

図1にフィルムカメラの基本的な構造を示します。フィルムカメラはデジタルカメラが普及する以前には広く利用されていたカメラで、レンズ付きフィルムなどもフィルムカメラにあたります。デジタルカメラの普及に伴い、市場は縮小したカメ

図1　フィルムカメラの動作原理

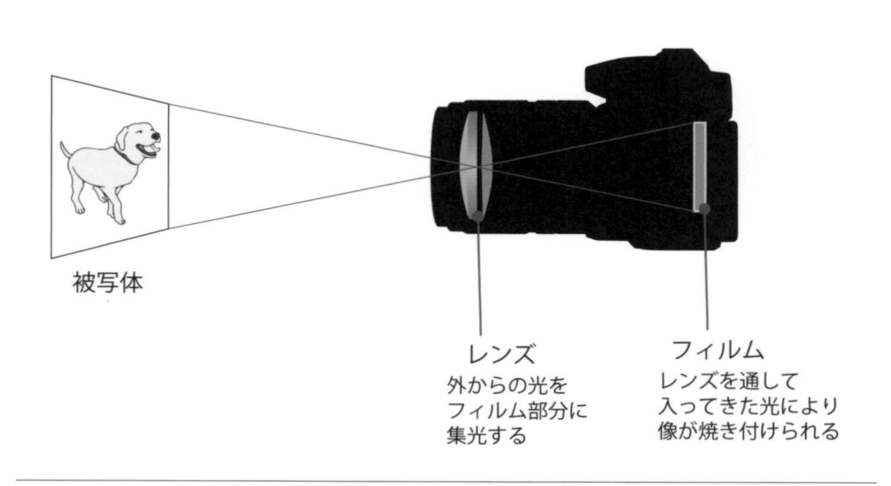

ラですがデジタルカメラでは撮像が難しい環境では現在でも利用されています。

図1に示すようにフィルムカメラはレンズとフィルムからなり、被写体からの光はレンズを通してフィルム部分に集光されます。フィルムカメラのフィルムは感光材料でできており、被写体の光の情報を焼き付ける形で記録します。フィルムには入ってきた光をそのまま記録するポジフィルムと入ってきた光を反転して記録するネガフィルムがあります。

図2にデジタルカメラの基本的な構造を示します。デジタルカメラはフィルムカメラのフィルム部分をCCDやCMOSと呼ばれる撮像素子に置き換え、得られた映像をJPEGなどの画像データとして記録するカメラです。手振れ補正や色補正などよりきれいな画像を保存するため、記録メディアに保存する前に画像処理エンジンを積んでいる機種も多くあります。

図2　デジタルカメラの動作原理

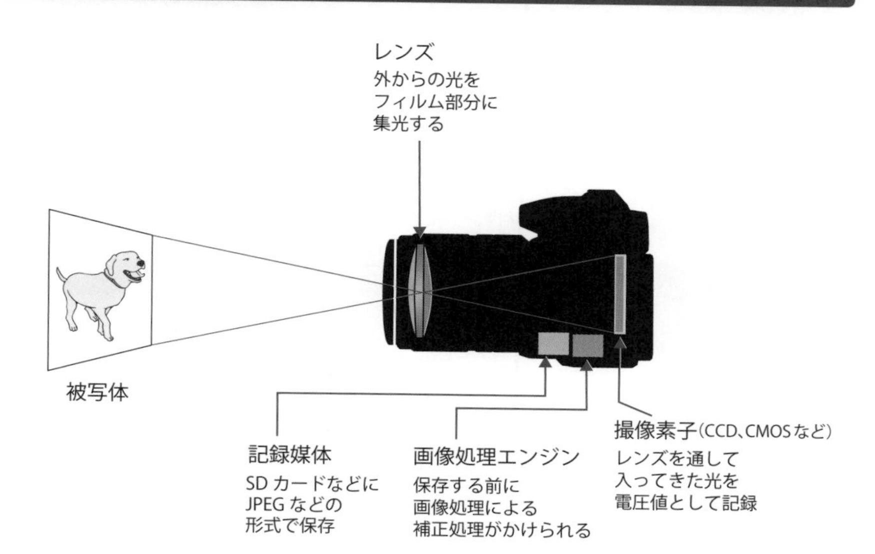

3-25

ステレオカメラ

価格帯：数千円から数万円程度

利用用途：監視システムなど

入力と出力：<入力>光、<出力>画像データ

複数のカメラにより距離測定も可能にする光学センサ

ステレオカメラは複数のカメラを用いることで物体の奥行情報も取得できるようにしたカメラです。奥行情報が重要になる自動制御やロボット分野などで用いられることの多いカメラです。特に2つのカメラを用いたステレオカメラを2眼ステレオ、それ以上のカメラを用いたステレオカメラを多眼ステレオと呼ぶこともあります。ここでは簡単に、2つのカメラを用いたステレオカメラの原理について説明します。

人は両目でものを見ると奥行情報を得ることができます。ステレオカメラはその仕組みをカメラへと応用した技術で、異なる場所にあるカメラに入ってくる2つの映像の視差を利用することで奥行情報を取得します。

図1　ステレオカメラの原理（対応点探索）

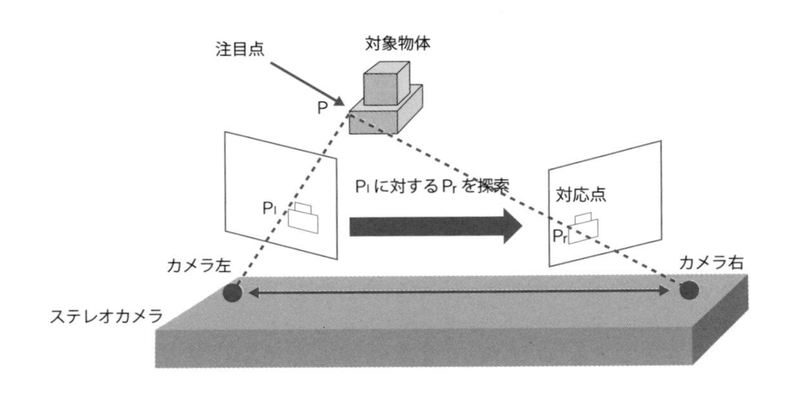

図1にステレオカメラの原理を示します。ステレオカメラではこの図のように2つのカメラが互いに異なる場所に置かれます。そのため、2つのカメラによって取得される画像がその位置に応じて少しだけずれます。この対象物体のある注目点Pについて2つの画像から対応する場所（図中P_lに対するP_r）を探します。対応点が探索出来たら、得られた対応点の情報をもとに図2のように三角測量の原理により対象物までの奥行を推定します。図3にステレオカメラの例を示します。

ステレオカメラは過去には奥行情報を取得するカメラとして主流的な位置づけにありましたが、現在では、赤外線プロジェクタ（IRプロジェクタ）、赤外線カメラ（IRカメラ）を組み合わせることで距離情報を別途取得するRGB-Dカメラなども安価に販売され始めており、そちらもよく利用されます。

図2　ステレオカメラの原理（奥行推定）

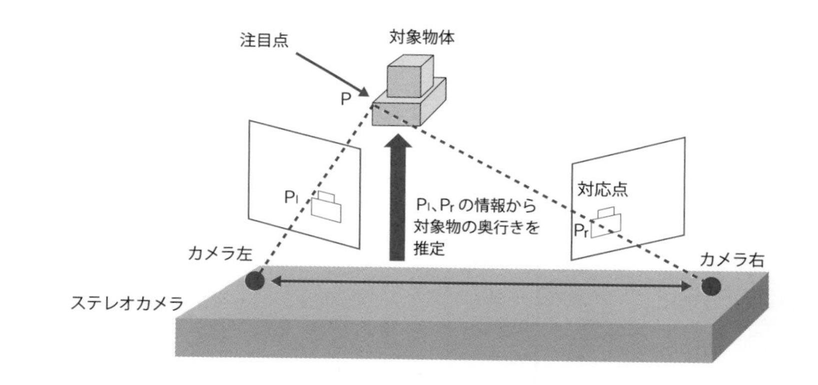

図3　ステレオカメラ

MEMO

第4章

リーディング：情報処理センサとその仕組み

世の中にはさまざまな種類のセンサがありますが、本書では自然物のセンシングを可能にする物理・化学センサと人工物の読み取りを可能にする情報処理センサに分類します。本章では、IT社会に欠かせない情報処理センサについて、その仕組みをみていきます。

4-1 押しボタンスイッチ（プッシュスイッチ）

価格帯：数十円から数千円程度

用途：電源のOn/Offなど

入力と出力：<入力>力、<出力>接続のOn/Off

外部からの力によりOn/Offの制御が可能な回路素子

押しボタンスイッチ（プッシュスイッチ）はボタンを押すことで接続のOn/Offを切り替えることのできるスイッチです。図1のように押したときだけOn（またはOff）になるスイッチを自動復帰型スイッチ（モーメンタリ型スイッチ）といいます。一方、図2のように押すたびにOn/Offが切り替わるスイッチを保持型スイッチ（オルタネイト型スイッチ）といいます。

図1　自動復帰型スイッチの動作

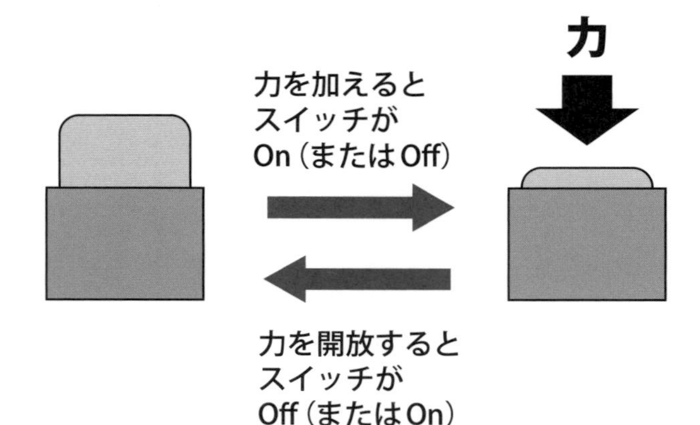

図2　保持型スイッチの動作

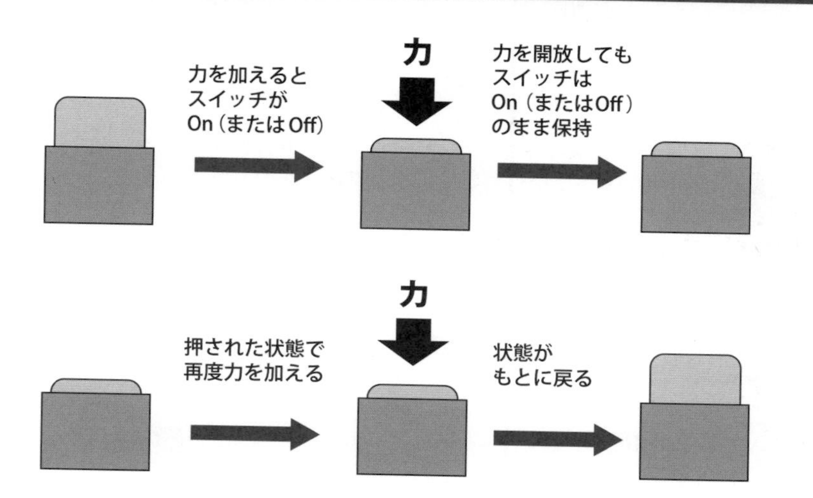

ボタンが押されていない状態ではOffでボタンを押すとOnになるスイッチをa接点（arbeit contact）のスイッチ、ボタンを押されていない状態ではOnでボタンを押すとOffになるスイッチをb接点（break contact）のスイッチと呼びます。

図3にa接点の自動復帰型スイッチの構造を示します。この図に示すようにa接点のスイッチは手を離した状態では金属が接触していないOffの状態にありますが、

図3　a接点の自動復帰型スイッチの原理

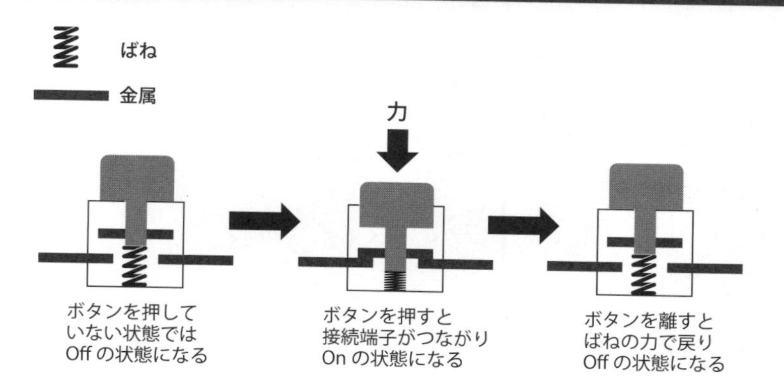

ボタンを押すと金属が触れ、接続がOnになります。手を離すとばねの力によって元に戻り、接続がOffになります。

図４にb接点の自動復帰型スイッチの構造を示します。この図に示すようにb接点のスイッチは手を離した状態で金属が接触しているOnの状態にあります。ボタンを押すと金属が離れ、接続がOffになります。手を離すとばねの力によって元に戻り、接続がOnになります。図５に押しボタンスイッチの例を示します。

図４　b接点の自動復帰型スイッチの原理

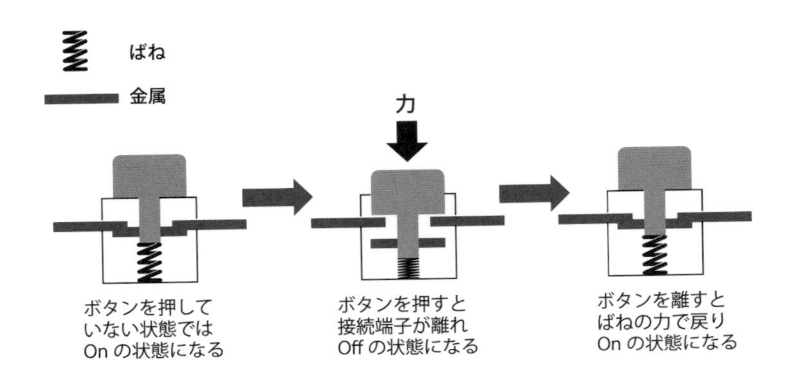

図５　押しボタンスイッチ

4-2

トグルスイッチ

価格帯：数百円程度

用途：電源のOn/Off、電源の切り替え

入力と出力：<入力>力、<出力>接続の切り替え

つまみの位置によりOn/Offの制御が可能な回路素子

トグルスイッチはつまみ状のスイッチを上下、左右の1方向に倒すことで接続を切り替えることのできるスイッチです。トグル（Toggle）にはダッフルコートのような上着で利用されるボタンや帽子などを引っ掛ける留木という意味があり、トグルスイッチに用いられるレバーが、留木に似ていることからトグルスイッチと呼ばれています。

トグルスイッチは、レバーを倒せる位置が2か所のタイプと3か所のタイプがあります。

レバーが倒せる位置が2か所のタイプは、図1のようにボタンスイッチと同じようにOn/Offの切り替え用に用いられるだけでなく、図2のように2か所のOnを切り替えるために用いられる場合があります。一方、レバーが倒せる位置が3か所のタイプは図3のように中心でOffとなり、左右に倒すことでOnの位置を切り替えることができることが一般的です。図4にトグルスイッチの例を示します。

図1　On-Off切り替え用トグルスイッチのイメージ

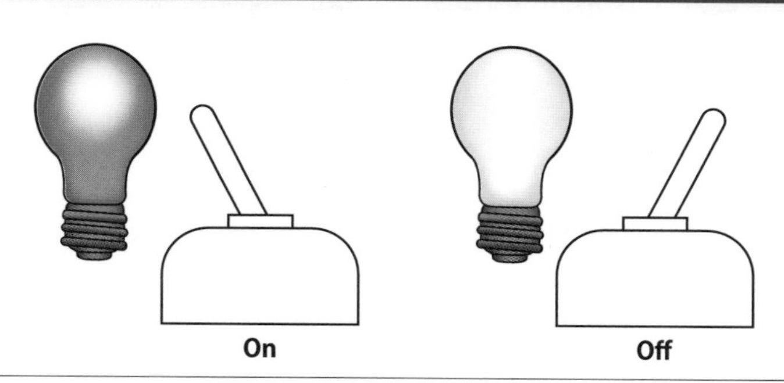

図2 On-On切り替え用トグルスイッチのイメージ

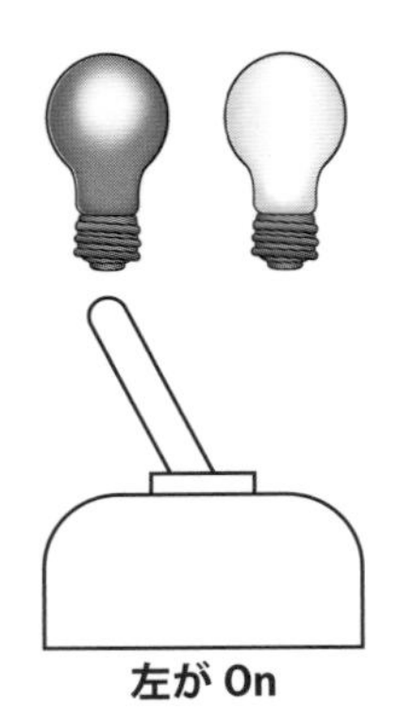

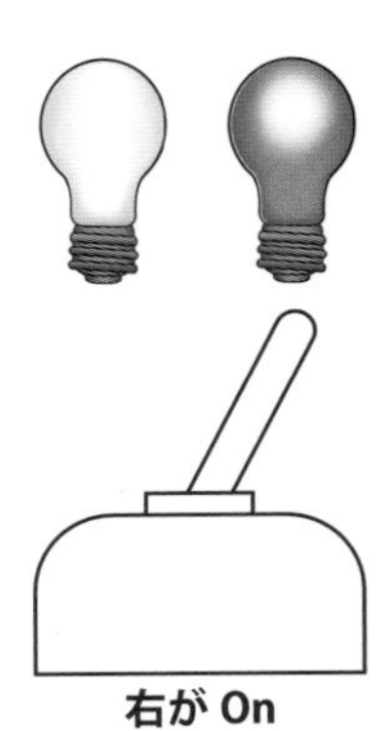

図3 On-Off-On切り替え用トグルスイッチのイメージ

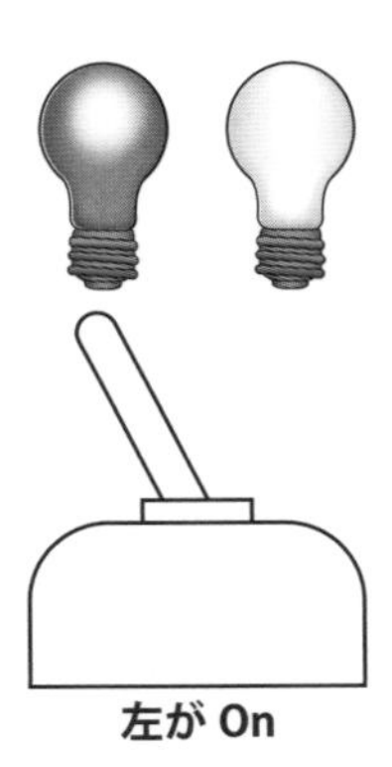

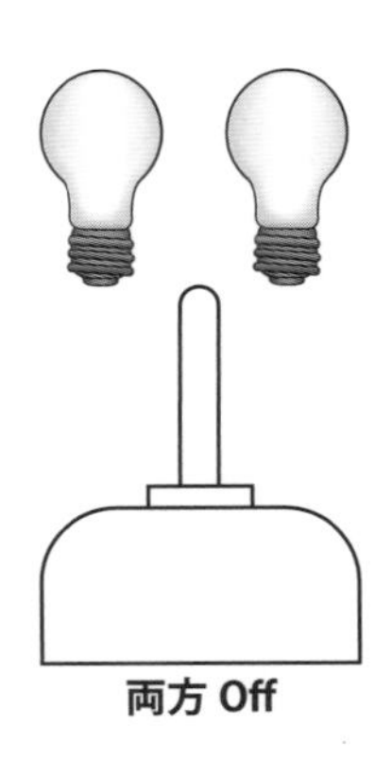

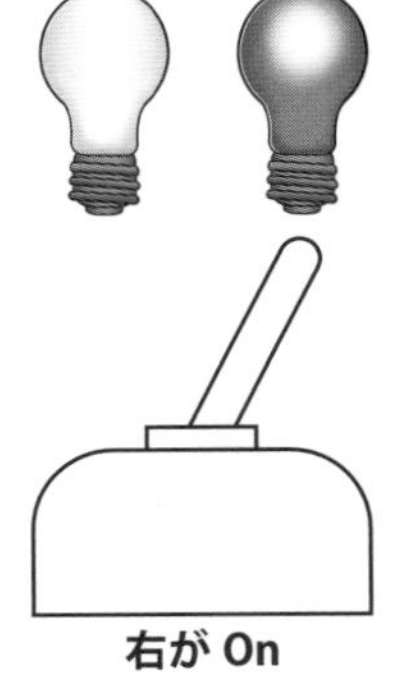

図4　トグルスイッチ

4-3
1次元バーコード

価格帯：印刷代程度

用途：情報の記録、読み取りなど

入力と出力：＜入力＞印刷情報、＜出力＞記録データの読み取り

縞の太さで情報を伝達する1次元バーコード

1次元バーコードは縞模様の線の太さによって数値や文字を符号化する技術です。bar（縞）を用いたcode（符号）であることからバーコードと呼ばれます。表1に主な1次元バーコードの種類と利用可能な文字、長さなどを示します。この表に示すように1次元バーコードにはJANコード、ITFコード、CODE39などさまざまな種類があります。

表1　1次元バーコードの種類と例

バーコード名	利用できる文字の種類	利用できる文字の長さ	バーコード例
JAN：日本での呼称 EAN：国際的な呼称 UPC：アメリカ、カナダでの呼称	数字（0-9）	13桁、または8桁	1 234567 890128
ITF	数字（0-9）	14桁	123 45678 90123 1
CODE39	数字（0-9）、アルファベット（A-Z）、記号	可変	* 1 2 3 4 5 6 7 8 9 0 *

JANコードは日本だけでなく世界中で使われています。国際的にはEANコードと呼ばれ、アメリカやカナダで流通しているUPCコードと互換性があります。JANコードは商品の流通コードとして用いられ、POSシステムとの連携などに利用されます。商品コードとしてJANコードを利用するには利用手続きが必要です。ITF

コードは物流における梱包内容の識別に利用されるコードでJANコードに梱包用のコードを付加した1次元バーコードです。

CODE39は数字だけでなくアルファベットも扱える1次元バーコードで主に工業用に用いられます。さまざまな種類の1次元バーコードがありますが、縞模様の線の太さで情報を表しているという点は共通です。

図1に1次元バーコードの読み取りイメージを示します。1次元バーコードは縞の線の太さによって情報を記録していることから、この図に示すように横方向にしか情報を持ちません。1次元バーコードという呼び名はこの性質からきています。1次元バーコードの作成は図2のようなインターネット上のサイトやフリーのアプリを用いることで簡単に行うことができますので、それを印刷するだけで簡単に利用することができます。

図1　1次元バーコードの読み取り

図2　1次元バーコード作成サイト

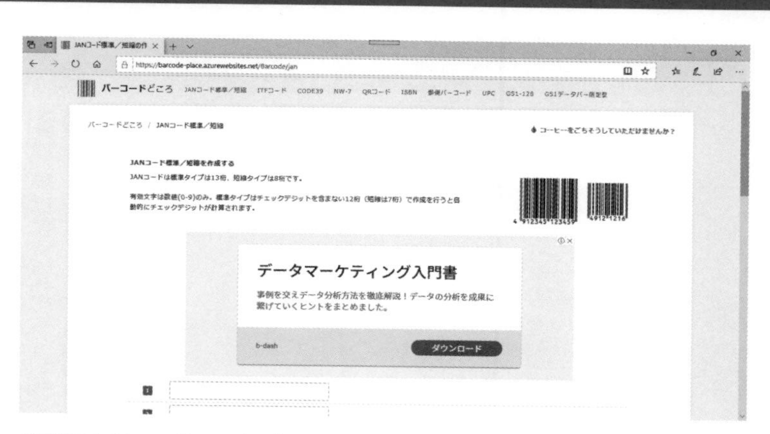

参考 Web：https://barcode-place.azurewebsites.net/

4-4
2次元コード

価格帯：印刷代程度

用途：情報の記録、読み取りなど

入力と出力：<入力>印刷情報、<出力>記録データの読み取り

2次元模様で載せられる情報を大幅に増やせる2次元コード

2次元コードは1次元バーコードを2次元に拡張することで面積あたりに記録できる情報量を大幅に増やしたコードです。

表1に主な2次元コードの種類と利用可能な文字、長さなどを示します。この表に示すように2次元コードにはPDF417、QRコード、DataMatrixなどさまざまな種類があります。2次元コードはその情報の記録の仕方に応じてスタック型2次元コードとマトリクス型2次元コードに分けられます。

スタック型2次元コードは従来のバーコードを縦に並べた構造をしており、外形は長方形なものが多いです。表1内のPDF417がこれにあたります。これに対し、

表1　2次元コードの種類と例

2次元バーコード名	利用できる文字の種類	利用できる文字の長さ	2次元コード例
PDF417	数字、アルファベット	数字：2710字 英数字：1850字	
QRコード	数字、アルファベット、漢字	数字：7089字 英数字：4296字 漢字：1817字	
DataMatrix	数字、アルファベット	数字：3116字 英数字：2335字	

マトリクス型2次元コードは白と黒のモザイク模様によって情報を記録します。表1内のQRコードやDataMatrixがこれにあたります。

PDF417はIDカードや品質管理などさまざまな場面で利用されています。QRコードはデンソーが開発した2次元コードで日本発のコードであることもあり、日本では広く普及しています。携帯電話での読み取りも可能であることから在庫管理などに利用されるだけでなく電子決済などにも利用されています。DataMatrixはアメリカで広く普及している2次元コードで工業分野における部品のマーキングなどに利用されています。

図1に1次元バーコードと2次元コードの違いを示します。この図に示すように1次元バーコードは横方向には情報を持ちますが、縦方向には情報を持ちません。これに対し、2次元コードは横方向だけでなく、縦方向にも情報をもっています。そのため、同じ大きさでも2次元コードは1次元バーコードに比べ記録できる情報が飛躍的に増加します。

図1　1次元バーコードと2次元コードの違い

1次元バーコード

縦方向には
情報を持たない

横方向には情報を持つ

2次元コード

縦方向にも
情報を持つ

横方向には情報を持つ

図2に日本でよく利用されているQRコードを示します。この図に示すようにQRコードでは角に3つの四角のパターンを持ちます。このパターンは位置合わせ用に用いられるパターンで、カメラなどがQRコードに対して斜めになっていてもこのパターンを利用することですばやい情報の取得が可能です。

図2　QRコードの位置合わせ

4-5

ARマーカー

価格帯：印刷代程度

用途：アニメーション、広告、展示用デモなど

入力と出力：<入力>印刷情報、<出力>記録データの読み取り

実世界に仮想世界の情報を重畳するARマーカー

AR（Augmented Reality：拡張現実）とは、私たちがみている世界にコンピュータで新たな情報を載せることで現実を拡張する技術やその技術によって拡張された現実空間そのものをいいます。

図1にARマーカーを用いた拡張現実のイメージを示します。この図のように机のような現実世界のものにマーカーを置いておき、スマートフォンなどのカメラを通してマーカーを写すとそこに現実世界にはない仮想アニメーションなどのデジタルデータが映し出されるような仕組みです。

図1　ARマーカーを用いた拡張現実のイメージ

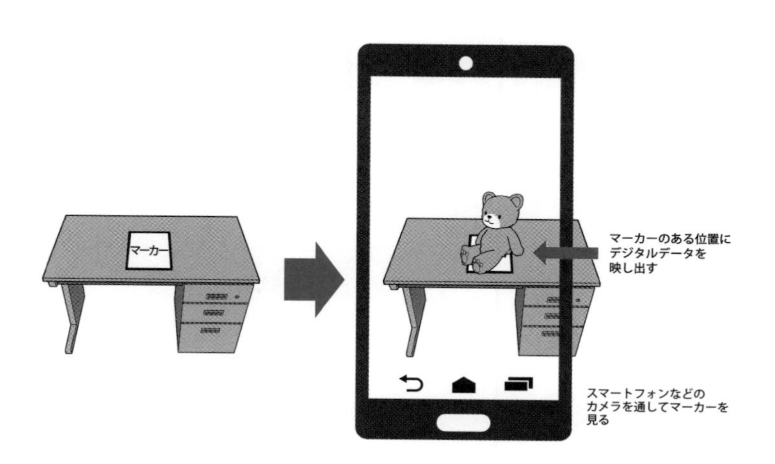

4-5 ARマーカー

ARマーカーを用いるような拡張現実では現実世界に置かれたマーカーの上にアニメーションなどが合成されて表示されるものがよく知られています。商品情報などを映し出すこともできるため、広告分野や博物館などでの利用も期待されています。

ARマーカーは自身で用意する必要がありますが、QRコードほどパターンに制約はなく、認識しやすいパターンであればさまざまなパターンを利用することができます。単純なパターンだと現実世界にあるものと誤認識してしまうため、現実世界にはあまりないパターンを利用することが多いです。AR開発用のライブラリとして古くからよく知られるARToolkitでは、図2のようなマーカーがよく用いられます。

近年では画像処理技術が進歩し、現実の世界から取得された画像から特徴的な点を自動的に取得し、マーカーとして用いるマーカーレスなAR技術も普及し始めています。

図2 ARマーカーの例

参考Web：https://github.com/artoolkit/ARToolKit5

4-6

RFID

価格帯：RFタグ：数十円から数百円程度、RFタグリーダ：数千円から数万円程度

用途：商品管理など

入力と出力：<入力>電波情報、<出力>記録データの読み取り

▶▶ 情報をリーダとタグの間で無線でやり取りするRFID

RFID（アールエフアイディー）とはRadio Frequency IDentifierの頭文字をとった名称で、ID情報が埋め込まれたRFタグと呼ばれる機器とリーダと呼ばれる読み取り機との間で無線通信によって情報をやり取りする技術です。RFIDにはタグの動作方法や通信方式によりいくつかの分類があります。

RFタグは内部に電源を持つか持たないかでアクティブタグ、パッシブタグ、セミアクティブタグの３種類に分類されます。

このうち、アクティブタグは電池を内蔵し、自ら電力を発信可能なRFタグです。これに対し、パッシブタグはリーダからの電波をエネルギー源として動作し、電池を必要としないRFタグです。セミアクティブタグは一部の機能にアクティブタグの機能を持つものの一部の動作を外部からの電源を使って行うことで電池を長持ちさ

図１　電磁誘導方式のRFタグリーダ、RFタグの構成

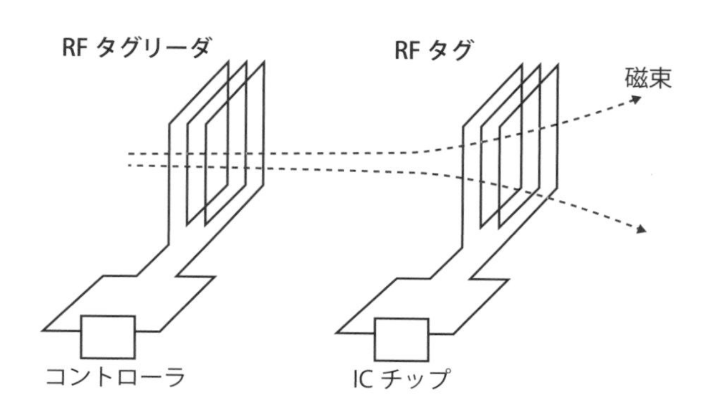

せ、同時にパッシブタグよりも長距離の通信を可能にします。ここでは主にパッシブタグを用いた通信について説明します。

RFIDを実現する無線通信には電磁誘導方式と電波方式がありますが、そのどちらにおいてもRFタグ側に電力を供給できます。

電磁誘導方式のRFタグリーダとRFタグの構成を図1に示します。

この図に示すように電磁誘導方式で通信する際にはRFタグリーダ側のコイルとRFタグ側のコイルが互いに近接するように置かれます。電磁誘導方式を利用することでRFタグリーダからRFタグ側に電力を供給可能になるため、RFタグ側には電池が必要ありません。実際の動作イメージを図2に示します。この図に示すように、動作の際には、RFタグリーダ側のコイルに交流電流を流します（図2①）。すると、それにともない、コイルを貫く磁束が変化します（図2②）。

RFタグをリーダの近くに置いた状態でRFタグリーダ側のコイルに電流を流すと、RFタグ側のコイルを貫く磁束も変化します（図2③）。その磁束の変化にともなって誘導起電力が発生し、RFタグ側のコイルにも電流が流れます（図2④）。RFタグはこのようにして供給された電力を用いて、ICチップを駆動し、RFタグリーダと通信します。薄型のRFタグを実現しやすいことからSuicaをはじめとする交通カードなど幅広く利用されています。

図2　電磁誘導方式のRFタグリーダ、RFタグの動作

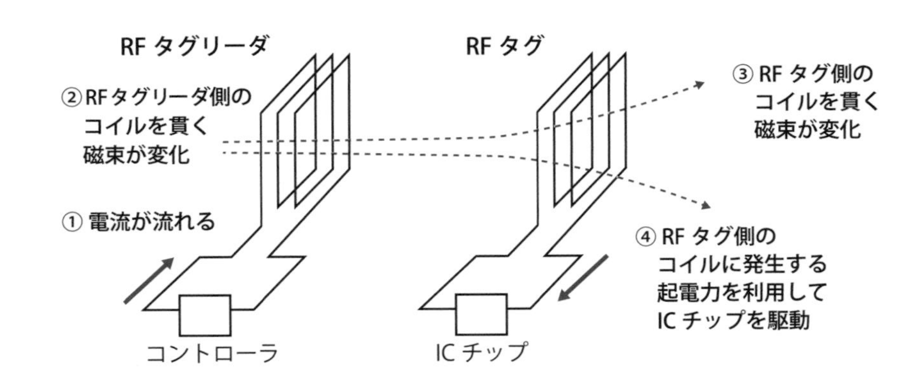

電波方式のRFタグリーダとRFタグの構成を図3に示します。電波方式の場合にも、リーダ、タグにはそれぞれ制御用のコントローラやICチップが搭載されます。図3に示すように電波方式では、RFタグリーダとRFタグはそれぞれ電波をやり取りするためのアンテナを持っています。

実際の動作イメージを図4に示します。この図に示すように、動作の際には、RFタグリーダ側のアンテナから電波を送信します（図4①）。RFタグは、受信した電波のエネルギーを利用してICチップを駆動し、RFタグリーダと通信します（図4②）。電波を用いることから電磁誘導方式よりも通信範囲は長く数m程度の通信が可能です。一方、利用の際には電波干渉など周囲の環境を事前にチェックする必要があります。図5、図6にRFタグリーダ、RFタグの例を示します。

図3　電波方式のRFタグリーダ、RFタグの構成

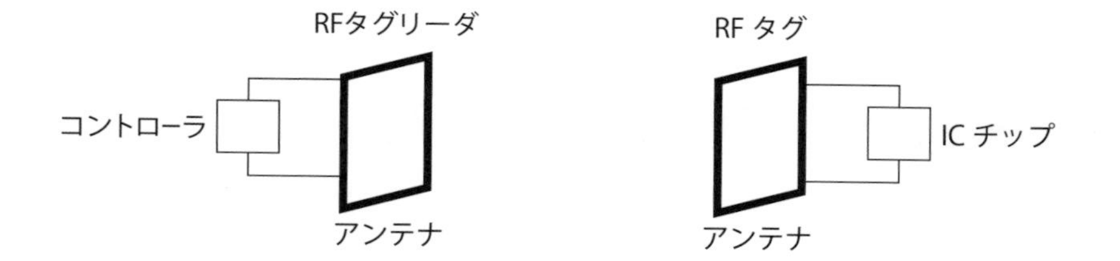

図4　電波方式のRFタグリーダ、RFタグの動作

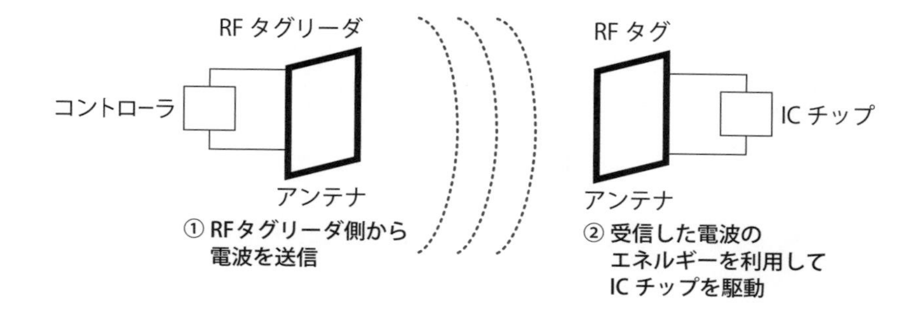

図5 RFタグリーダ

図6 RFタグ

4-7

GPS

価格帯：単体の場合：数千円程度、（組み込まれている場合には商品により異なる）
用途：カーナビゲーションシステム、紛失防止など
入力と出力：<入力>衛星からの電波情報、<出力>受信者の位置情報

衛星からの情報により高精度な位置決めが可能

GPS（ジーピーエス）とはGlobal Positioning Systemの頭文字をとった略称で、アメリカ合衆国が軍事用に打ち上げた衛星を利用した衛星測位システムのことをいいます。現在ではカーナビゲーションシステムやスマートフォンでも利用されるよく知られた技術です。

図1にGPSの原理を示します。GPSは上空にある4つの衛星を利用し、三角測量と呼ばれる原理を用いて位置の測位を行います。各衛星からは現在時刻と現在位置の情報が常に発信されています。受信者に電波が届くまでには時間がかかるため、端末の現在時間と衛星からの電波に記録された時間を比較することで衛星から受信者に届くまでの時間がわかります。計算の結果、衛星までの距離と衛星の位置がわかるため、そこから逆算することで受信者の位置が計算できます。

図1　GPSの原理

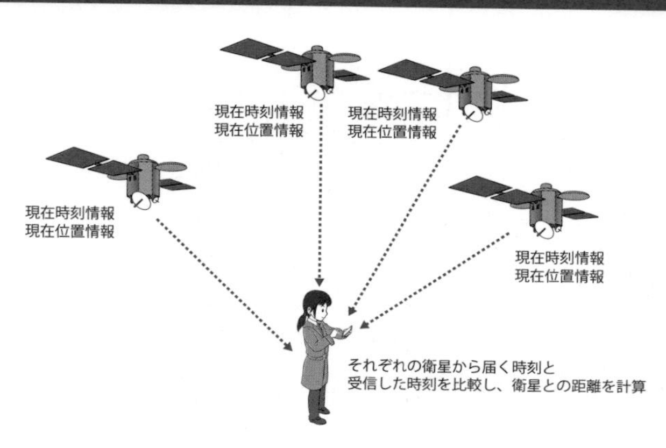

GPSを用いることで受信者は自分の位置を特定することができますが、それだけでは10m前後の誤差が生じます。また、木陰や岩陰などで衛星の陰に隠れてしまうと精度が落ちてしまうという問題がありました。

そこで、近年では、アメリカだけでなく、GLONASS(ロシア)、BeiDou(中国)、Galileo(EU)、IRNSS(インド)、みちびき(日本)など世界各国が自前で測位用の衛星を打ち上げ始めています。これらのシステムをまとめたものをGNSS(ジーエヌエスエス)と呼びます。GNSSはGlobal Navigation Satellite Systemの略称で、日本語では全球測位衛星システムと呼びます。GNSSを用いることで将来的には数cm程度の誤差にまで測位精度が向上することが期待されています。図2にGPSを用いた商品の例を示します。紛失防止タグや迷子防止など身近なモノや人を探すため幅広い商品で利用されています。

図2 GPSを用いた商品

紛失防止タグ

迷子防止用トラッカー

第5章

IoTの活用事例とセンサ技術

センサ技術はIoTを実現するうえで、どのように活用されているのでしょうか？ 本章では、この本のまとめとしてこれまでに紹介したセンサの利用例として興味深いいくつかのIoT技術を紹介します。

5-1
医療分野のIoT ーみまもりホットラインー

用いられているセンサ: 電源スイッチ、無線など

ポットの利用状況で自然にみまもり効果を実現するIoTポット

みまもりホットラインは、象印マホービンが提供するIoT技術を用いた見守りサービスです。少子高齢社会である日本では単身で遠方に暮らす高齢者が多数存在し、社会的な問題となっています。このような単身高齢者の健康を見守ることは家族にとっても重要な社会的課題です。高齢者と連絡を密にすれば、その健康状態を知ることができますが、どれほど親密であっても毎日のように連絡を取り合うことは互いに負担になってしまいます。

図1　iポット

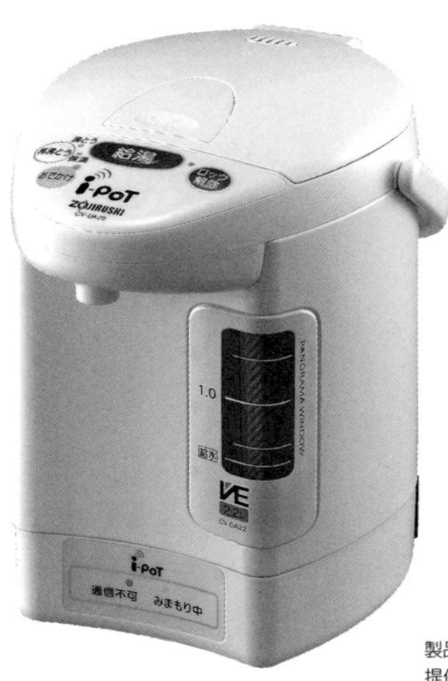

製品：iポット（CV-DA22）
提供：象印マホービン
参考Web：https://www.mimamori.net/

高齢者が普段の生活を送るだけで、高齢者の生活を乱すことなく、その健康状態をさりげなく見守ることができるようなシステムの開発が望まれます。みまもりホットラインはこのような要望に応えようとしているサービスだといえます。

みまもりホットラインで提供されるIoT機器は、図1に示すようなiポットと呼ばれる湯沸かし用電気ポットに過ぎません。しかし、ポットにセンサを取り付け、その状態をチェックするだけで高齢者の健康状態を把握可能なIoT機器に変化します。

図2にiポットを用いたみまもりホットラインの概要図を示します。iポットには利用状態を知るためにいくつかのスイッチがついており、電源ボタンや給湯ボタンがいつ押されたかを検知することができるようになっています。また高齢者側はおでかけキーを押すことで、出かけるタイミングを家族に明示的に伝えることもできます。

iポットにはその情報を送信可能なように無線機器がついており、iポットの利用情報は無線信号を通してサーバに送られ、1日2回メールで家族のもとに届けられます。また、1週間の利用履歴を専用のWebページから知ることができるようになっています。

iポットで使われている技術は決して高度なものではなく、既存の技術で容易に実現可能なものです。しかしながら、高齢者が日常的に利用するポットという道具の利用状況を知ることで高齢者が元気に暮らしているのか、異常がないのかなどといった情報を遠くにいる家族でもさりげなく知ることができるシステムになっています。

図2　みまもりホットラインの利用イメージ

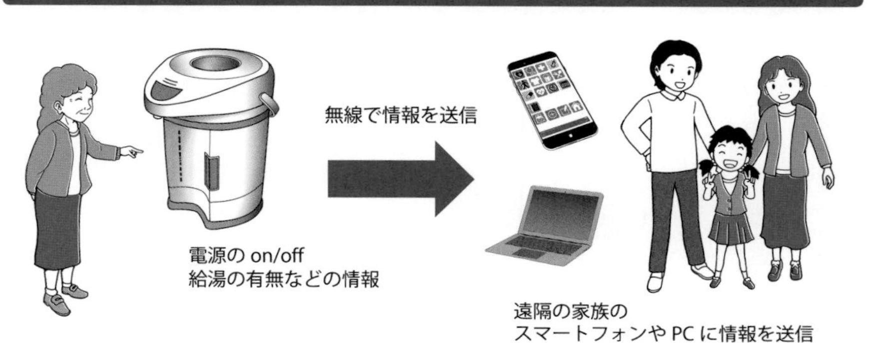

5-2
医療分野のIoT －G·U·M PLAY－

用いられているセンサ：加速度センサなど

毎日の歯みがきを科学するIoT歯ブラシ

G·U·M PLAYは、サンスターが提供する歯をより正しく磨けるようにするためのIoTデバイスです。正しく歯を磨くことは歯の健康を維持するために極めて重要です。しかしながら、歯磨きの必要性や重要性を説くだけでは、歯を磨くことを嫌がる子供もたくさんいます。定期的に歯を磨いている人であっても正しく歯を磨けている人は少なく、正しい歯の磨き方を身に着けることができるようなシステムがあれば便利です。

G·U·M PLAYで提供されるIoT機器は、図1に示すような既存の歯ブラシに装着可能なアタッチメント形式のデバイスです。歯ブラシに装置することで図2のようにスマートフォンアプリとの連動が可能です。

利用者はG·U·M PLAYを装着して歯磨きをすることで、自分が歯磨きにかけている時間や歯磨き中の動きなどを記録し、採点することができます。G·U·M PLAYでは、MOUTH STATUS・MOUTH BAND・MOUTH MONSTER・MOUTH NEWSといった4つのアプリが提供されています。MOUTH STATUSは利用者の歯磨きの様子をデータとして記録し、その改善点をチェックできるアプリです。MOUTH BANDは歯磨きを行うことで音楽を奏でられるようになるアプリです。MOUTH MONSTERは歯磨きを行うことでモンスターと戦えるゲーム形式のアプリです。MOUTH NEWSは歯磨き中にニュースを読み上げてくれるアプリです。

G·U·M PLAYは既存の歯ブラシに取り付けることで歯磨きの様子を記録することのできるIoTデバイスです。また、スマートフォンのアプリを使うことで、歯ブラシをゲームや音楽が可能になるデバイスに生まれ変わらせ、歯磨きそのものの単調さに飽きてしまうような子供にとっても歯磨きをより楽しいものにしようと試みています。また、いつも使っている歯ブラシに装着するだけで歯磨きが正しくできているのか記録することができます。

　歯磨きという日常的な作業に、簡単なIoTデバイスを組み込むことでいつもの歯磨きを少し違ったものに生まれ変わらせようとするデバイスだといえます。

図1　G·U·M PLAY

図2　G·U·M PLAYの利用イメージ

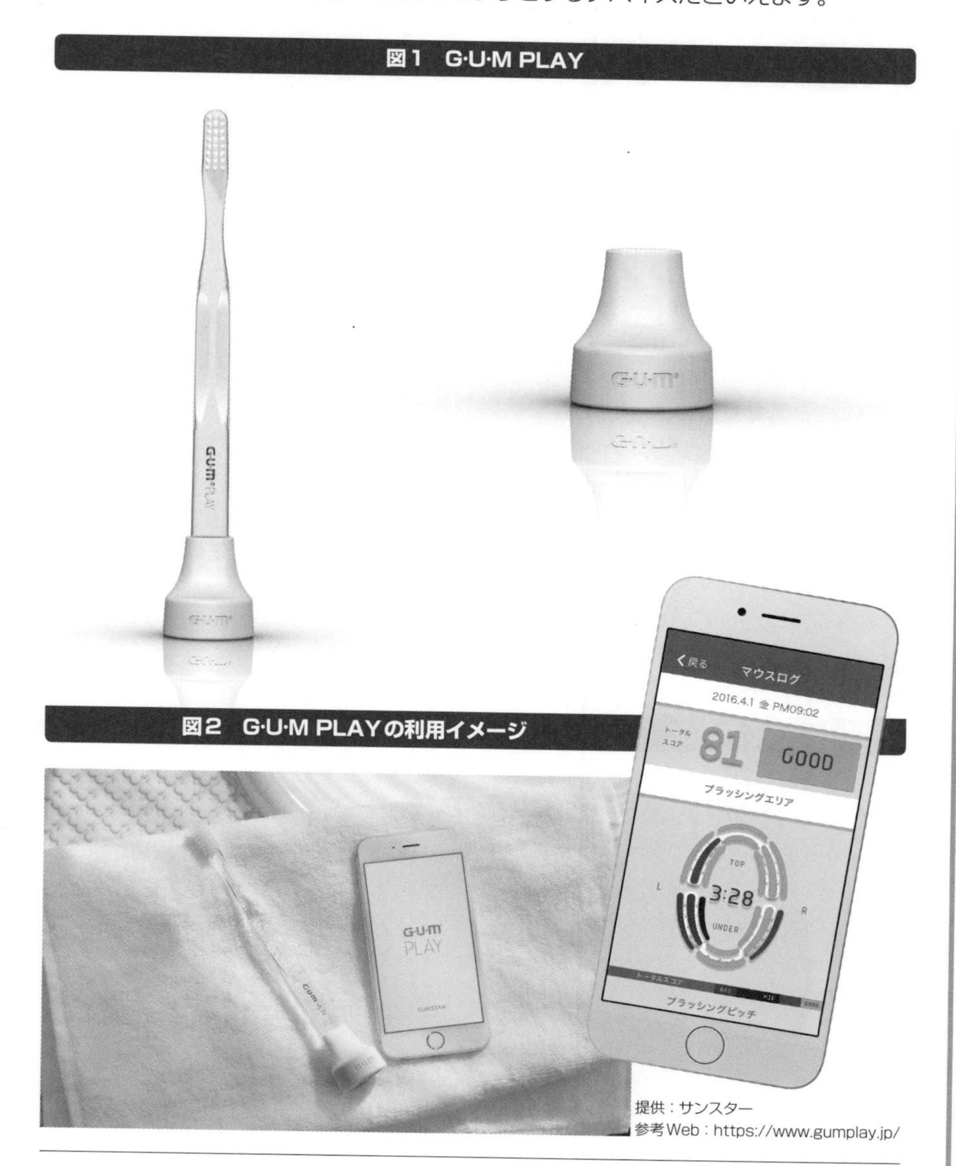

提供：サンスター
参考Web：https://www.gumplay.jp/

5-3 医療分野のIoT ー活動量計(GARMIN、Fitbit、TANITAなど)ー

用いられているセンサ:加速度センサ、心拍センサなど

日々の活動をセンシングする活動量計

活動量計とは身に着けることで利用者の歩数、心拍数、消費カロリーなどの体の情報を計測し、保存することのできるデバイスです。ウェアラブルデバイスを用いたこの種の活動量計による利用者の活動計測はライフログと呼ばれ、医療分野のIoTデバイスとして強く期待されている領域の1つです。スマートフォンとの連携の親和性や腕時計などすでに利用されている電子機器の代替機としても利用できることなどから潜在的な顧客数が非常に多く、さまざまな会社から似たようなサービスを提供するIoTデバイスが次々と発売されています。

実際に販売されているデバイスの形態もさまざまで腕に装着するリストバンド型、胸に装着する胸バンド型、衣服に装着するクリップ型などが知られています。

図1 リストバンド型活動量計(GARMIN)

参考Web:https://www.garmin.co.jp/

図2 リストバンド型活動量計(Fitbit)

参考Web:https://www.fitbit.com/jp/home

図1、図2はリストバンド型の活動量計の事例です。リストバンド型の活動量計は腕時計などとの親和性から現在主流となっておりGARMINやFitbitなど現在のウェアラブルデバイスをけん引する企業の多くがこの形態をとっています。

図3は胸バンド式の活動量計の事例です。リストバンド式に比べ、より正確に身体情報を計測することができるため、トレーニングなどでより正確な身体情報を知りたいときに利用されます。

図4はクリップ型の活動量計の事例です。リストバンド型に比べて種類は少ないですが、体への接触が少ないため、つけている実感を少なくでき、ポケットなどに入れておくことで人にも着用が知られにくいことが利点として挙げられます。

図3　胸バンド型活動量計（Polar）

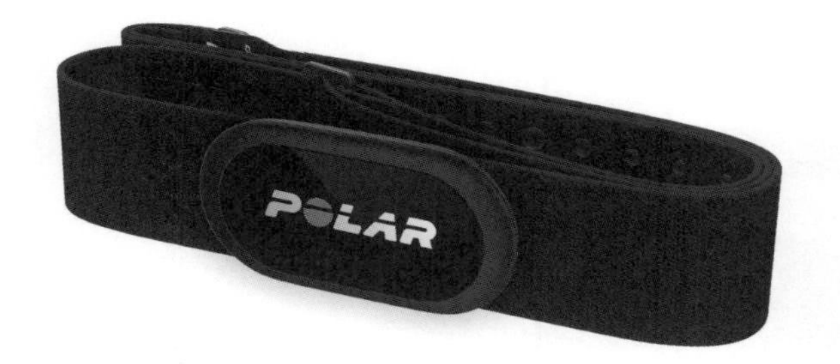

参考Web：https://www.polar.com/ja

図4　クリップ型活動量計

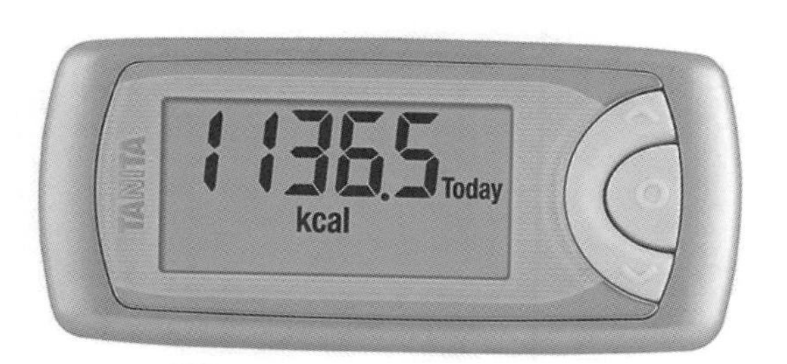

https://www.tanita.co.jp/

5-4 生活分野のIoT －MAMORIO－

用いられているセンサ：Bluetoothなど

Bluetoothで忘れ物を未然に防ぐIoTデバイス

MAMORIOはMAMORIOが提供するもの探しのためのIoTデバイスです。鍵や財布など大切なものを紛失してしまったとき、どこで落としたのかが分かればとても助かります。MAMORIOは図1のようなキーホルダーサイズの小型なデバイスです。大切なものに装着し、専用のアプリをダウンロードすることで利用することができるもの探しデバイスです。

図1　MAMORIO

製品：MAMORIO
提供：MAMORIO
参考Web：https://mamorio.jp/

MAMORIOの利用イメージを図2に示します。この図に示すように利用者は、MAMORIOをあらかじめ財布などの無くしてはならないものに装着しておきます。利用者がMAMORIOをつけた対象物から一定距離離れるとそれを検知したMAMORIOがスマートフォンにその情報を送信してくれる仕組みです。この機能を実現するためにMAMORIOはBluetoothの機能を利用しています。

Bluetoothとは比較的短い距離で用いられる無線規格として知られており、一般的にはキーボードやイヤホン、スピーカーなど身近な電子機器を無線化するためによく用いられます。通常のBluetoothを用いた電子機器はつながることによってその機能を発揮しますが、MAMORIOはこの通信の短さを逆手に取り、対象物が一定距離以上離れるとその情報をスマートフォンに送信してくれます。MAMORIOはBluetooth通信が切れることによってその機能を発揮するという、Bluetoothの電波距離の短さをうまく利用した商品だといえます。

図2　MAMORIOの仕組み

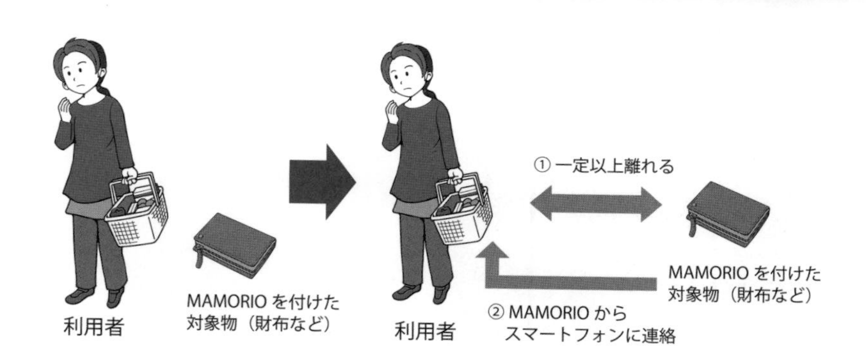

5-5 生活分野のIoT －GeoTrakR－

用いられているセンサ：GPS、Bluetooth

GPSとBluetoothで旅行での荷物紛失を防ぐIoTデバイス

GeoTrakRはSamsoniteが提供するもの探し機能付きのGPS搭載型のスーツケースです（図1）。IoTデバイスを用いてもの探しをするという意味で発想としてはMAMORIOと似ています。しかしながら、スーツケースは手を離れる場面も多いため、もの探しのためにLugLocと呼ばれるGPS搭載型のIoTデバイスを用いています。旅行での荷物の紛失でよく知られた問題にロストバゲージ問題があります。ロストバゲージ問題とは飛行機に預けた荷物が出てこなかったり、取り違えられた

図1　GeoTrakR

参考Web：https://www.samsonite.co.jp/

りする問題で、頻度は高くないものの起きてしまうと旅行者にとって致命的な問題になります。場合によっては何千キロも離れた場所にある荷物を見つけるため、多くの手続きが必要になるうえ、荷物が必ずしも見つかるとは限らず、せっかくの旅行が台無しになってしまいます。しかしながら、GPSを用いれば自分の荷物の位置を瞬時に見つけ出すことができます。

図2にGeoTrakRでのもの探しのイメージを示します。利用者がGeoTrakRを紛失した場合には、この図に示すようにスマートフォンからその居場所をリクエストします。するとLugLocから現在のスーツケースのありかが送られてくる仕組みです。

また、LugLocには、MAMORIOと同じようにBluetoothによる追跡機能も付いており、スーツケースが利用者のそばから離れるとその状態を知ることができます。スーツケースは近くにおいていても盗まれてしまったり、空港でのピックアップの際に誤って持っていかれてしまうこともありますが、Bluetoothを用いることでそばに置いてあるスーツケースが離れたかどうかが確認でき、また、仮に遠くに離れてしまってもGPSを用いることで移動するスーツケースを常に追跡し、居場所を特定することが可能になります。

図2　GeoTrakR紛失時のGPSでの捜索イメージ

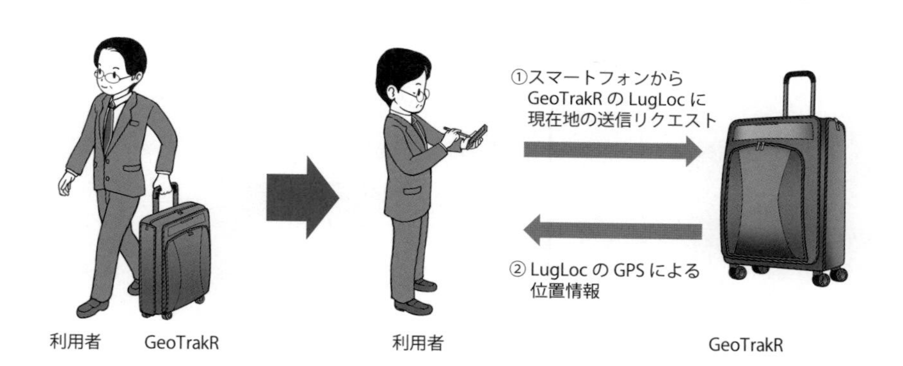

5-6

生活分野のIoT
ースマートロックー

用いられているセンサ:Bluetooth、カメラなど

スマートフォンから遠隔で鍵の開け閉めを可能にするIoTデバイス

スマートロックはカギを持っていなくてもスマートフォンから遠隔で鍵の開け閉めが可能になるIoTデバイスです（図1）。出かけるときの家の鍵の閉め忘れは出がけによく起こる心配事の1つです。遠隔から鍵を閉められるスマートロックはこの問題を解決する便利ツールだといえます。

図1　スマートロックの例

スマートロックにはその利用形態に従い、いくつかの種類があります。代表的なものとして、ハンズフリーのもの、スマートフォン操作によるもの、マルチデバイス操作によるものが挙げられます。

ハンズフリータイプのスマートロックは図2のようにキーとなるスマートフォンを近づけたり、遠ざけたりすることで自動的に鍵が施錠されたり、解錠されたりするスマートロックです。MAMORIOやGeoTrakRでも用いられていた無線の通信範囲を利用して自動での解錠・施錠機能を実現します。

スマートフォン操作によるスマートロックは現在もっとも一般的なスマートロックです。利用の際には、図3のようにスマートフォンにアプリをインストールし、アプリを操作することで解錠・施錠機能を実現します。

マルチデバイス操作によるスマートロックは、スマートフォンに限らず、カードキーなど異なるデバイスで施錠・解錠が可能なスマートロックです。ホテルやオフィスなどでよく利用されるオートロック機能とカードによる解錠をイメージする

とわかりやすいでしょう。

現在販売されている多くのスマートロックは既存のカギに上から取り付けるだけで使用できるようになっています。一方で無線通信を盗聴されてしまうことで他人にも開け閉めができてしまうような製品もあるなどセキュリティ上の問題もあります。また、スマートフォンを紛失してしまうことで自分の家から閉め出されてしまうというリスクも多くあります。このため、スマートロックは現状利用の際に注意が必要なIoTデバイスになっています。

図2　ハンズフリータイプのスマートロックの動作

図3　スマートフォン操作タイプのスマートロックの動作

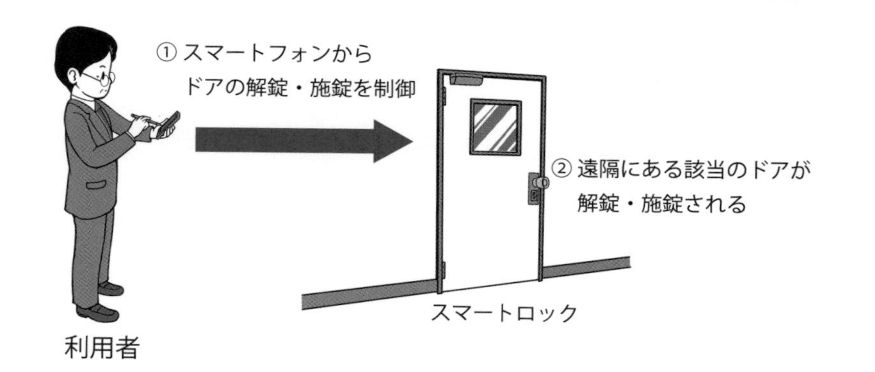

5-7 農業分野のIoT －PaddyWatch－

用いられているセンサ：温度センサなど

水田の健康状態をリアルタイムに監視するIoTサービス

PaddyWatchはベジタリアの提供する水稲向け水管理支援システムです。IoTと農業は一見あまり関連がなさそうに思えますが、実は比較的親和性の高い応用分野の1つです。

農業分野において、水質や温度の管理はその収穫に多大な影響を与える重要な要素です。しかしながら、人間が逐一その情報を記録することには大変な労力を伴います。

PaddyWatchは水田における水位や温度情報を逐次監視し、系統的にそのデータを解析することを目的に開発された農業用のIoTシステムです。

図1にPaddyWatchの動作イメージを示します。PaddyWatchは水田に設置されたセンサとその情報を受け取るクラウドサーバ、ユーザに情報を提供するWebシステムなどからなるIoTサービスです。図1①に示すようにPaddyWatchは水田に

図1　PaddyWatchの動作イメージ

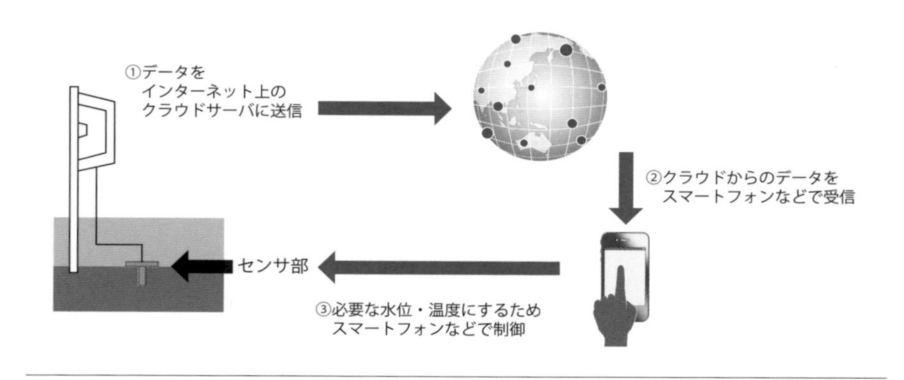

設置された水位センサや温度センサからの情報を自動的に収集し、その計測情報をインターネット上に蓄積していきます。ユーザは図１②に示すようにスマートフォンやパソコンからアクセスすることでいつでもどこからでもそのデータにアクセスし、リアルタイムに水田の状況を知ることができます。

PaddyWatchはユーザからのフィードバック情報も受け付けており、ユーザは図１③のように必要に応じて水量や温度を外部から調整することができます。

農作物には定期的な世話が必要であるため、農作業従事者が田畑から物理的に離れることは困難でしたが、PaddyWatchを利用することで遠隔から定期的に農作物の世話ができるようになります。図２にPaddyWatchのシステムイメージを示します。

図2　PaddyWatch

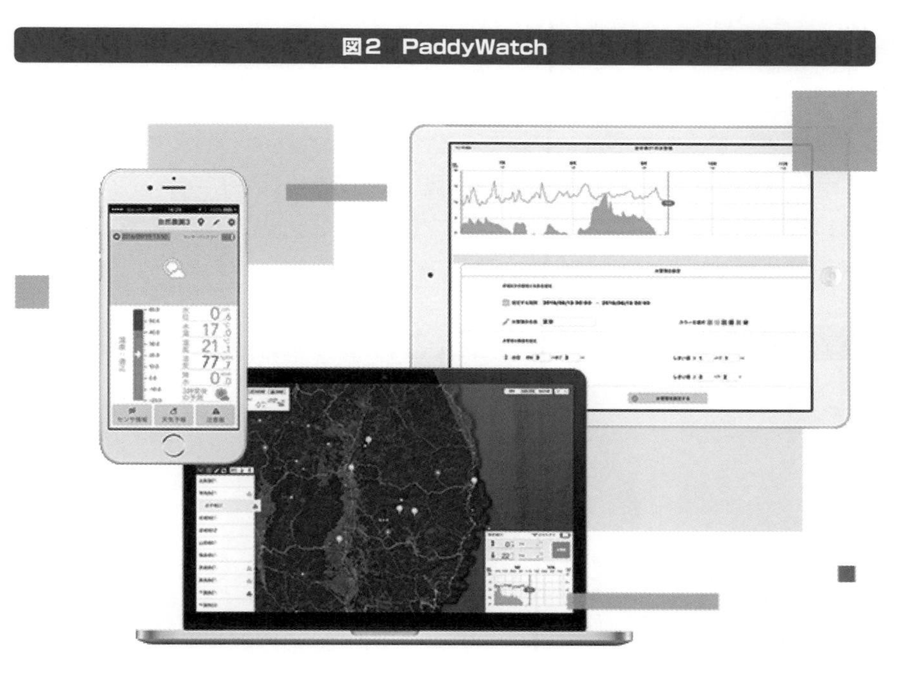

参考Web：http://www.vegetalia.co.jp/

5-8
農業分野のIoT
ー foop ー

用いられているセンサ：照度センサ、CO_2センサ、温度湿度センサなど

インテリア感覚で農業を楽しめるIoTデバイス

foopはアドトロンテクノロジーが提供するスマートフォンによる水耕栽培を実現するためのIoTデバイスです。PaddyWatchは本格的な農作業のためのシステムでしたが、foopは家庭菜園向けのIoTデバイスになります。

遠隔から管理することで家庭菜園を実現するという発想はPaddyWatchとよく似ていますが、準備の手間をなるべく省き、すぐに水耕栽培を始められるキットとして販売されています。図1に実際に販売されているfoopを示します。この図に示すようにfoopは電子レンジサイズの水耕栽培装置であり、この中で自分好みの野菜を育てていきます。種は図2のようなカプセル素材でできており、これをfoopにセットするだけで好きな野菜を育てられます。

図1　foop本体

製品：foop standard
提供：アドトロンテクノロジー
https://foop.cestec.jp/

図3はfoopでの栽培手続きのイメージです。利用者が行うべきことは非常に少なく、栽培のための養分となるfoop用の養液パックを栽培プレートに投入後、種子の入ったカプセルを設置し、アプリで設置した種子の種類を指定するだけです。

foopは利用者から指定された情報に合わせ、育ち具合や食べごろを利用者に向けてフィードバックしてくれる仕組みになっています。利用者は、foopからの情報に合わせて環境を整えるだけで気軽に家庭菜園を楽しむことができます。

foopは農業という地道な作業が必要になる作業をIoTと組み合わせることで、実際に食べられるおしゃれなインテリアとして農業を身近な存在にしようと試みています。

図2　foop用カプセル

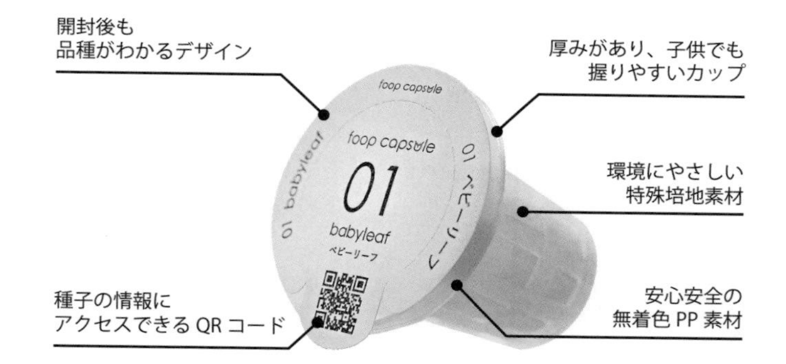

図3　foopの利用方法

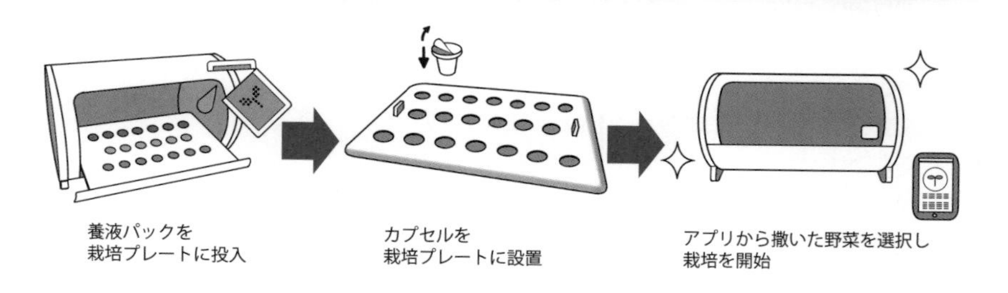

参考文献

『絵で見てわかるＩｏＴ／センサの仕組みと活用』
株式会社ＮＴＴデータ　翔泳社　(2015)

『センサが一番わかる（しくみ図解）』　松本光春　技術評論社　(2012)

静電容量の変化を使用した６軸力覚センサ、
日本機械学会誌、Vol.113, No.1105,　pp.979-（２０１０）

参考URL

　価格調査は以下のようなサイトを参考に行っています。

Amazon：http://www.amazon.co.jp
秋月電子通商：http://akizukidenshi.com/catalog/
モノタロウ：https://www.monotaro.com/
アールエスコンポーネンツ：https://jp.rs-online.com/web/
Digi-Key electronics：https://www.digikey.jp/
ビックカメラ：https://www.biccamera.com/bc/main/

　また、執筆にあたっては以下に挙げるサイトも参考させていただきました。挙げきれていないサイトもあるかもしれませんが、ご了承ください。

ITMedia：https://www.itmedia.co.jp/
EDN Japan：https://ednjapan.com/
NEC：https://jpn.nec.com/
Time & Space：https://time-space.kddi.com/
丸文株式会社：https://www.marubun.co.jp/
FLIR：https://www.flir.com
Embedded Technology Lab：https://lab.fujiele.co.jp/
ROHM：https://www.rohm.co.jp/
WACOH：http://wacoh.co.jp/
KYOWA：https://www.kyowa-ei.com/jpn/product/category/sensors/aspb-a/index.html

TDK：https://www.jp.tdk.com/
MOUSER：https://www.mouser.jp/
EPSON：https://www5.epsondevice.com/ja/
スポーツセンシング：https://www.sports-sensing.com/
KEYENCE：https://www.keyence.co.jp/
オムロン：https://www.fa.omron.co.jp/
ヘイシンモーノディスペンサー：http://www.mohno-dispenser.jp/
富士エレクトロニクス株式会社：https://www.fujiele.co.jp/
ケイエルブイ株式会社：https://www.klv.co.jp/
フィガロ技研株式会社：https://www.figaro.co.jp
第一熱研株式会社　ジルコニア式酸素濃度計：
http://www.o2-analyzer.com/
SATO測定器：https://satosokuteiki.com/
タクミナ：https://www.tacmina.co.jp/
横河電機株式会社：https://www.yokogawa.co.jp/
アイリス株式会社：https://www.airis1.co.jp/
バーコードどころ：https://barcode-place.azurewebsites.net/
KAYWA datamatrix：http://datamatrix.kaywa.com/
AIM Group：https://www.aimjal.co.jp/index.html
アイニックス株式会社：http://www.ainix.co.jp/
トッパン・フォームズ株式会社：https://rfid.toppan-f.co.jp/index.html
ARToolKit：https://github.com/artoolkit
みまもりホットライン：https://www.mimamori.net/product/
G・U・M Play：http://www.gumplay.jp/
GARMIN：https://www.garmin.co.jp/mobile/
Fitbit：https://www.fitbit.com/jp/home
Polar：https://www.polar.com/ja
TANITA カロリズム：https://www.tanita.co.jp/content/calorism/
MAMORIO：https://mamorio.jp
GeoTrakR：https://shop.samsonite.com/samsonite-geotrakr-collection/geotrakr-c.html
LugLoc：https://shop.lugloc.com/
PaddyWatch：
http://www.vegetalia.co.jp/our-solution/iot/paddywatch/
foop：https://foop.cestec.jp/

索 引

INDEX

英数字

あ行

か行

さ行

た行

な行

は行

ま行

や行

ら行

著者紹介

松本 光春（まつもと　みつはる）

早稲田大学大学院理工学研究科博士後期課程修了。博士（工学）。早稲田大学理工学術院助手、助教などを経て、2020年現在、国立大学法人電気通信大学准教授。エリクソン・ヤング・サイエンティスト・アワード、FOST熊田賞受賞。著書に『しくみ図解 センサが一番わかる』『しくみ図解 電子部品が一番わかる』（技術評論社）などがある。

●執筆協力：松本友実
●イラスト：箭内裕士
●校正：グローバルマイン
●撮影：庄野正弘

図解入門 よくわかる
最新センサ技術の基本と仕組み

発行日　2020年　6月10日　第1版第1刷

著　者　松本　光春

発行者　斉藤　和邦
発行所　株式会社　秀和システム
〒135-0016
東京都江東区東陽2-4-2　新宮ビル2F
Tel 03-6264-3105（販売）Fax 03-6264-3094
印刷所　三松堂印刷株式会社　Printed in Japan

ISBN978-4-7980-6092-7 C0050

定価はカバーに表示してあります。
乱丁本・落丁本はお取りかえいたします。
本書に関するご質問については、ご質問の内容と住所、氏名、電話番号を明記のうえ、当社編集部宛FAXまたは書面にてお送りください。お電話によるご質問は受け付けておりませんのであらかじめご了承ください。